UNION GÉNÉRALE D'ÉDITIONS
8, rue Garancière - Paris VIe

DU MÊME AUTEUR
DANS LA MÊME SÉRIE

Meurtre à Canton, n° 1556.
Le Pavillon rouge, n° 1579.
La Perle de l'Empereur, n° 1580.
Le Motif du saule, n° 1591.
Trafic d'or sous les T'ang, n° 1619.
Le Paravent de laque, n° 1620.
Le Squelette sous cloche, n° 1621.
Meurtre sur un bateau-de-fleurs, n° 1632.
Le Monastère hanté, n° 1633.
Le Mystère du labyrinthe, n° 1673.
Le Collier de la Princesse, n° 1688.
L'Enigme du clou chinois, n° 1723.
Le Fantôme du temple, n° 1741.

ASSASSINS
ET
POÈTES

PAR
ROBERT VAN GULIK

Traduit de l'anglais
par Anne KRIEF

INÉDIT

Série « Grands Détectives »
dirigée par Jean-Claude Zylberstein

Titre original :
Poets and Murder

ISBN 2-264-00697-8

LES PERSONNAGES

Rappelons qu'en Chine le nom propre
(imprimé ici en majuscules)
précède toujours le prénom.

TI Jen-tsie
Magistrat du district de Pou-yang.
Dans ce roman, le juge passe quelques jours
chez un de ses collègues,
dans le district voisin de Chin-houa.

LO Kouan-chong
Magistrat du district de Chin-houa,
et poète amateur.

KAO Fang
Conseiller du tribunal de Chin-houa.

CHAO Fan-ouen
Docteur en littérature,
ex-président de l'Académie impériale.

CHANG Lan-po
Poète de Cour.

YO-lan
Célèbre poétesse

Frère LOU
Moine Zen.

MENG Siu-chaï
Marchand de thé.

SONG Aï-ouen
Candidat aux examens littéraires.

PETIT PHENIX
Danseuse.

SAFRAN
Gardienne du Sanctuaire du Renard Noir.

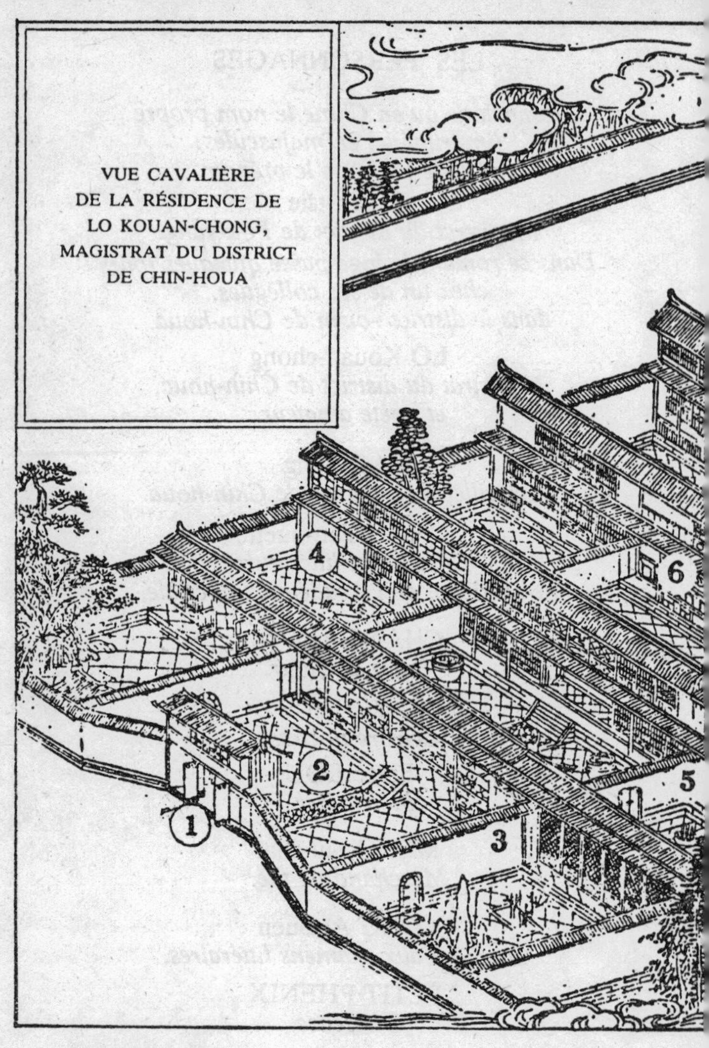

1. Entrée principale.
2. Avant-cour.
3. Appartements du Juge Ti.
4. Appartements et bibliothèque de l'Académicien.
5. Appartements du poète de cour.

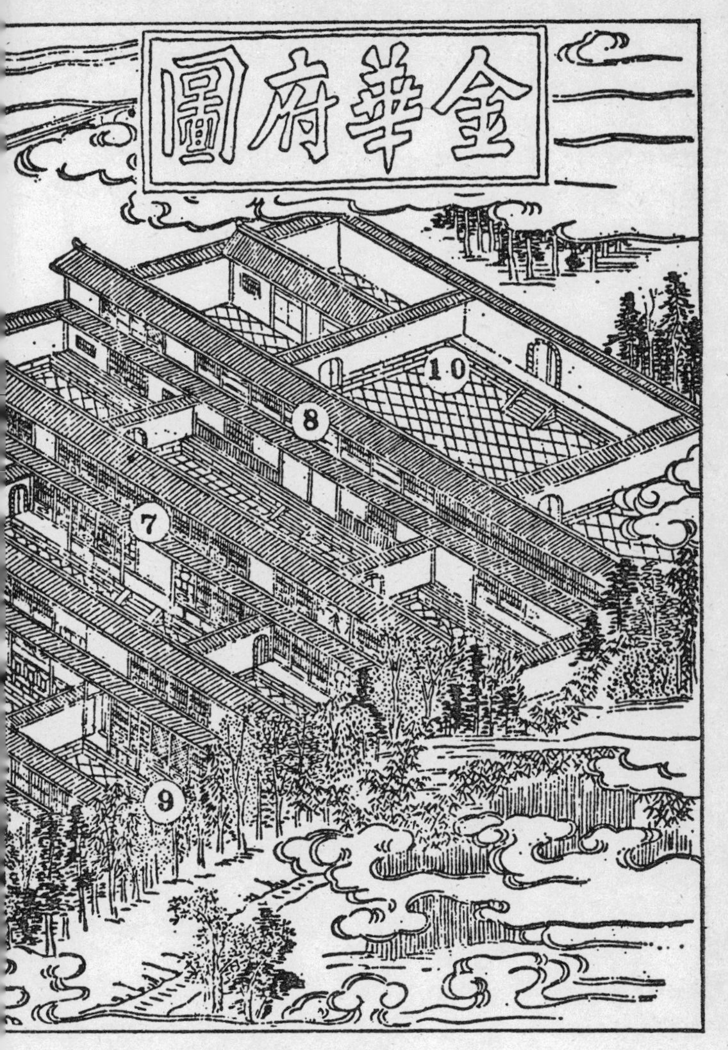

6. Cour principale et Salle du Banquet.
7. Quatrième cour.
8. Appartements des femmes.
9. Autel du Renard et chambre de Frère Lou.
10. Arrière-cour et cuisines.

I

Un moine refuse grossièrement
une invitation courtoise ;
la présence du juge Ti
le fait changer d'avis.

Assis en tailleur à une extrémité du large banc, le moine obèse regardait impassiblement son visiteur. Au bout d'un moment, il lui répondit d'une voix éraillée :

— Ma réponse est non. Je dois quitter la ville cet après-midi même.

Les gros doigts poilus de sa main gauche serraient un livre corné, posé sur ses genoux.

L'espace d'un instant, son interlocuteur, un homme élancé en robe bleue et manteau de soie noire, resta sans mot dire. Il était fatigué car il avait dû descendre à pied toute la rue-du-Temple, et son hôte, peu civil, n'avait pas daigné lui offrir un siège. Après tout, il serait aussi bien que ce moine hideux, grossier de surcroît, ne vienne pas déparer une compagnie aussi raffinée... Il contempla avec dégoût la grosse tête rasée du moine, enfoncée entre des épaules massives, son visage boucané aux joues flasques et poilues, son nez charnu et sa bouche lippue. Avec ses yeux étonnamment gros et proéminents, l'homme le fit irrésistiblement penser à un crapaud répugnant. L'odeur rance qui se dégageait de sa robe rapiécée se mêlait au parfum de l'encens dans l'atmosphère confinée de la pièce vide. Le visiteur prêta un moment l'oreille au bourdonnement monotone des prières en provenance de l'aile opposée du Temple de la Subtile Clairvoyance ; puis, réprimant un soupir, il reprit :

— Le magistrat Lo en sera navré. Mon maître donne un dîner à la résidence et il a prévu pour demain soir un banquet pour la Fête de la Mi-automne, sur la Falaise d'Emeraude.

Son hôte renifla bruyamment.

— Le magistrat Lo devrait être plus raisonnable ! Des réceptions, tiens donc ! Et pourquoi a-t-il envoyé son conseiller au lieu de venir me voir lui-même, hein ?

— Le préfet est de passage ici ; tôt ce matin, il a fait mander mon maître à la résidence du gouverneur — à l'ouest de la ville — pour une réunion des quatorze magistrats de district dépendants de cette préfecture. Il est convié ensuite au repas offert par le préfet.

Le conseiller s'éclaircit la gorge, puis reprit en manière d'excuse :

— Ces festivités se dérouleront en toute

simplicité et en petit comité. Il s'agit avant tout d'une réunion poétique, et comme vous...

— Quels sont les autres invités ? demanda abruptement le moine.

— Eh bien, il y a tout d'abord l'Académicien Chao, ensuite Chang Lan-po, le poète de cour, tous deux arrivés ce matin chez le magistrat, et...

— Je les connais depuis longtemps, ainsi que leurs œuvres d'ailleurs. Donc je peux très bien me passer de leur compagnie. Quant aux vers de mirliton de Lo...

Après avoir jeté un regard lugubre à son visiteur, il ajouta à brûle-pourpoint :

— Qui d'autre ?

— Il y aura le juge Ti, magistrat de Pou-yang. Il est arrivé hier, car le préfet l'a également convoqué.

— Ti, de Pou-yang ? répéta l'affreux moine en sursautant. Mais pourquoi diable ?... Vous n'allez pas me faire croire qu'il a l'intention de participer à cette joute poétique ? ajouta-t-il avec humeur. J'ai toujours entendu dire qu'il était plutôt terre à terre. Sinistre compagnie...

Le conseiller lissa posément sa moustache noire avant de répondre d'un air pincé :

— Ami et collègue de mon maître, le magistrat Ti est considéré comme faisant partie de la maison et prend par conséquent part à toutes les festivités, comme il se doit.

— Vous ne vous mouillez pas, hein ! railla le moine.

Il resta songeur un moment, gonflant les joues, ce qui le fit encore davantage ressembler à un crapaud. Puis un sourire tordu retroussa ses grosses lèvres, révélant une rangée de dents gâtées.

— Ti, hein ?

Il rivait sur son visiteur ses gros yeux globuleux tout en frottant pensivement ses joues mal rasées. Ce crissement exaspérant irrita le conseiller.

— Après tout, ce peut être une expérience intéressante, grommela le moine en baissant les yeux. Je me demande bien ce qu'il pense des renards ! On le dit diablement intelligent.

Puis, relevant brusquement les yeux, il grogna :

— Rappelez-moi votre nom, conseiller ! Comment avez-vous dit, Pao, Hao ?

— Je m'appelle Kao. Kao Fang, pour vous servir.

Le moine fixait intensément un point, derrière le conseiller. Celui-ci regarda par-dessus son épaule, mais personne n'était entré.

— Parfait, Monsieur Kao, déclara soudain le moine. J'ai changé d'avis. Vous pouvez dire à votre maître que j'accepte son invitation.

Le conseiller Kao rend visite au Fossoyeur

Jetant un regard soupçonneux au messager impassible, il demanda d'un ton sec :

— Au fait, comment votre maître a-t-il su que j'étais dans ce temple ?

— Le bruit courait que vous étiez arrivé en ville il y a deux jours. Le magistrat Lo m'a ordonné ce matin d'aller me renseigner dans la rue-du-Temple, et l'on m'a indiqué ce...

— Je vois. Effectivement j'avais bien l'intention d'arriver deux jours plus tôt, mais en réalité je ne suis ici que depuis ce matin. J'ai été retenu en chemin... Mais ce n'est pas votre affaire. Je me rendrai chez le magistrat Lo pour le repas de midi, conseiller. Veillez à ce que l'on me serve un repas végétarien et à ce qu'on me loge dans une chambre petite et calme. Petite, mais propre surtout ! A présent, veuillez m'excuser, Monsieur Kao, mais j'ai un certain nombre de choses à faire. Un frère fossoyeur à la retraite a encore des obligations, voyez-vous. Enterrer les morts, entre autres... Ceux du passé et ceux du présent !

Le gros rire qui secoua ses lourdes épaules s'arrêta aussi brusquement qu'il avait commencé.

— Bonne journée ! conclut-il d'une voix rauque.

Le conseiller Kao s'inclina respectueusement, les bras croisés dans ses longues manches, avant de se retirer.

L'obèse frère fossoyeur ouvrit le livre corné

posé sur ses genoux. C'était un vieux livre de divination. Suivant de son gros index les caractères du titre du chapitre, il lut à haute voix :

— « Le renard noir sort de son trou. Prenez garde. »

Puis il ferma le livre et fixa la porte d'un air de crapaud impassible.

II

Deux magistrats font une promenade digestive en palanquin ; un meurtre les contraint à se passer de sieste.

— Le canard fumé était exquis, déclara le magistrat Lo en croisant les mains sur son ventre. Mais les pieds de cochon étaient trop vinaigrés, à mon goût tout au moins.

Le juge Ti s'adossa au moelleux capiton du confortable palanquin de son collègue, qui les reconduisait de la résidence du Gouverneur au tribunal.

— Vous avez probablement raison, Lo, en ce qui concerne les pieds de cochon, dit le juge en caressant sa longue barbe noire, mais tout le reste était excellent ; ce fut un somptueux festin. Et le préfet m'a fait l'impression d'être un homme compétent, prompt à se faire une idée sur les événements. J'ai trouvé très instructif son compte rendu final de notre réunion.

Le magistrat réprima discrètement un petit rot, en portant à sa bouche sa main replète. Puis il redressa les pointes de la fine moustache qui agrémentait son visage lunaire.

— Oui, très instructif. Mais assez ennuyeux aussi. Grands dieux, ce qu'il peut faire chaud ici !

Le magistrat repoussa de son front moite la coiffe de velours noir aux deux ailes empesées. Les deux hommes avaient revêtu leurs habits de cérémonie en brocart vert, ainsi que l'exigeait la présence du préfet, leur supérieur direct. La matinée d'automne avait été fraîche, mais à présent les rayons du soleil frappaient le palanquin.

— Eh bien, poursuivit Lo en bâillant, maintenant que nous en avons terminé avec notre colloque, nous allons pouvoir nous consacrer à des activités plus plaisantes ! J'ai prévu un programme chargé pour les deux jours pendant lesquels vous allez m'honorer de votre présence, frère-né-avant-moi ! Et un programme des plus agréables, bien que ce soit moi qui le dise !

— Je ne voudrais pour rien au monde abuser de votre hospitalité, Lo ! Je vous en prie, ne faites surtout rien pour moi. Si j'ai la possibilité de lire un peu dans votre belle bibliothèque, je...

— Cher ami, vous n'en aurez guère le temps !

Lo tira le rideau de la fenêtre du palanquin. Ils étaient dans la grand-rue. Le magistrat montra du doigt les devantures des boutiques, gaiement décorées de lampions de toutes formes et tailles.

— C'est demain la Fête de la Mi-automne !

Nous allons commencer à la célébrer ce soir même par un grand dîner ! En petit comité, mais bien choisi !

Le juge sourit poliment, mais en entendant son collègue évoquer la Fête de la Mi-automne, il ressentit un pincement de regret. Plus que toute autre festivité annuelle, il s'agissait d'une réjouissance familiale, organisée par les femmes de la maison et à laquelle les enfants participaient aussi dans une large mesure. Le juge aurait voulu passer cette fête à Pou-yang, au sein de sa famille. Mais le préfet lui avait ordonné de rester encore deux jours à Chin-houa, au cas où il désirerait le convoquer à nouveau avant son retour à la capitale, la semaine suivante. Le juge Ti poussa un soupir. Il aurait grandement préféré rentrer tout de suite à Pou-yang, non seulement à cause de la fête, mais aussi parce qu'une complexe affaire de fraude qu'il tenait à régler personnellement était en cours de jugement.

C'est la raison pour laquelle il était parti seul à Chin-houa, laissant derrière lui son fidèle conseiller, le sergent Hong, et ses trois lieutenants, afin qu'ils achèvent de réunir tous les éléments pour le réquisitoire final.

— Pardon ? Qui, avez-vous dit ?

— L'Académicien Chao, mon cher ! Il a consenti à honorer ma misérable demeure de sa présence !

— Vous ne voulez pas parler de l'ancien

président de l'Académie ? Celui qui, jusqu'à très récemment, a rédigé tous les édits impériaux de première importance ?

Le visage du magistrat Lo s'éclaira d'un large sourire.

— Lui-même ! L'un des plus grands hommes de lettres de notre temps, en poésie comme en prose. Et le poète de cour, l'honorable Chang Lan-po, se joindra également à nous.

— Juste ciel ! Encore un nom illustre ! Vous ne devriez pas continuer à vous prétendre amateur, Lo ! La présence même de ces grands poètes est une preuve de votre...

Le magistrat bedonnant l'interrompit d'un geste de la main.

— Absolument pas, Ti ! Je n'ai pas cette chance, c'est un pur hasard ! Il se trouve que l'Académicien, de retour vers la capitale, est de passage dans notre ville. Quant à Chang, qui est né et a passé toute sa jeunesse à Chin-houa, il est venu faire ses dévotions à l'autel de ses ancêtres. Et comme vous le savez, le bâtiment où se trouvent le tribunal, ainsi que ma résidence officielle, est un ancien palais d'été princier ; il appartenait à ce fameux Neuvième Prince qui voulut usurper le trône, il y a vingt ans de cela. Les cours y sont nombreuses et les jardins ravissants. Nos deux distingués hôtes n'ont accepté mon invitation que parce qu'ils ont estimé qu'ils seraient mieux chez moi qu'à l'auberge réservée aux fonctionnaires.

— Vous êtes bien trop modeste, Lo ! Chao et Chang sont tous deux très exigeants, ils n'auraient jamais accepté votre invitation s'ils n'avaient pas été frappés par votre talent poétique. Quand doivent-ils arriver ?

— Ils devraient déjà être là, frère-né-avant-moi ! J'ai dit à mon intendant de leur servir à déjeuner dans la grande salle, en compagnie de mon conseiller qui me représentera pour l'occasion. Nous n'allons pas tarder à arriver. Grands dieux ! s'écria-t-il en ouvrant le rideau. Que fait donc Kao par ici ?

Passant la tête par la fenêtre, il donna l'ordre de s'arrêter au chef des porteurs.

Alors que le palanquin était déposé à terre, devant l'entrée principale du tribunal, le juge Ti aperçut par la fenêtre un petit groupe de gens sur les larges degrés, parmi lesquels il reconnut, à son manteau noir et à sa robe bleue, Kao, le conseiller de Lo. L'individu de haute taille, en veste et pantalon bruns bordés de noir portant un casque laqué noir à plumet rouge, était probablement le chef des sbires. Les deux autres avaient l'air de simples citoyens. Trois sbires se tenaient un peu à l'écart. Ils portaient la même livrée que leur supérieur, mais leurs casques étaient dépourvus de plumet rouge. En revanche, ils portaient autour de la taille de fines chaînes auxquelles pendaient des poucettes et des menottes. Kao descendit vivement les quelques marches et s'inclina profondément devant la fenêtre du palanquin.

— Que se passe-t-il, Kao ? demanda d'un ton sec le magistrat Lo.

— Il y a une demi-heure, le commis de Monsieur Meng, le marchand de thé, est venu nous annoncer un meurtre, Excellence. Monsieur Song, le candidat aux examens littéraires qui louait l'arrière-cour de la demeure de Meng, a été découvert égorgé. Tout son argent a disparu. Le meurtre a, semble-t-il, été commis très tôt ce matin.

— Un meurtre une veille de fête ! Quelle déveine ! grommela Lo à l'adresse du juge Ti. Qu'en est-il de mes invités ? ajouta-t-il en regardant Kao d'un air soucieux.

— Son Excellence l'Académicien Chao est arrivé peu après votre départ, Noble Juge, aussitôt suivi par l'Honorable Chang. Je leur ai fait visiter leurs appartements, en m'excusant de l'absence de votre Honneur. Ils allaient passer à table quand Frère Lou, le fossoyeur, est apparu. Après le repas, ces trois messieurs se sont retirés pour la sieste.

— Parfait. Cela me permet de me rendre tout de suite sur les lieux du crime ; je pourrai ainsi accueillir mes visiteurs après leur sieste. Envoyez en avant le chef des sbires et deux de ses hommes à cheval, Kao. Dites-leur de veiller à ce qu'on ne touche à rien, n'est-ce pas ! Avez-vous prévenu le contrôleur des décès ?

— Oui, Excellence. J'ai également cherché dans nos archives les papiers concernant la victime et son propriétaire, Monsieur Meng.

Le conseiller sortit de sa manche une liasse de documents officiels et les tendit respectueusement à son maître.

— Très bien ! Vous allez rester au tribunal, Kao. Voyez s'il est arrivé des papiers importants et réglez les affaires courantes ! Vous savez où habite Monsieur Meng ? cria-t-il au chef des porteurs qui n'avait rien perdu de la discussion. Près de la Porte de l'Est, dites-vous ? Eh bien, allons-y !

Tandis que le palanquin s'éloignait, Lo prit le juge Ti par le bras et lui dit précipitamment :

— J'espère que cela ne vous dérange pas de vous passer de sieste, Ti ! J'ai besoin de votre aide et de vos conseils. J'ai trop mangé pour m'occuper tout seul d'une affaire de meurtre. J'aurais dû y aller doucement sur le vin... Je crains que ma dernière coupe n'ait été suivie de beaucoup d'autres !

Lo essuya son visage en sueur et reposa sa question d'un air inquiet :

— Vous êtes sûr que cela ne vous dérange pas, Ti ?

— Mais non, voyons ! Je serais ravi de vous rendre service.

Le juge se caressa la moustache puis ajouta d'un ton sec :

— D'autant plus que je serai avec vous, Lo.

Ainsi vous ne pourrez rien me cacher, comme vous l'avez fait récemment dans l'Ile du Paradis !

— Vous n'étiez pas très bavard non plus, frère-né-avant-moi ! L'année dernière, j'entends, quand vous êtes venu enlever ces deux ravissantes jeunes filles ! (1)

Le juge Ti esquissa un pâle sourire.

— D'accord. Disons que nous sommes quittes ! Mais j'espère qu'il s'agit d'une affaire ordinaire, comme la plupart des assassinats suivis de vol. Voyons voir qui était la victime...

Lo s'empressa de remettre la liasse de papiers entre les mains du juge Ti.

— Jetez-y un coup d'œil le premier, frère-né-avant-moi ! Je vais fermer les paupières une seconde ou deux, afin de rassembler mes idées. Nous en avons pour un bon moment avant d'arriver à la Porte de l'Est.

Le magistrat Lo rabattit profondément sa coiffe sur ses yeux et se carra confortablement entre les coussins en poussant un soupir de satisfaction.

Le juge ouvrit le rideau de la fenêtre qui se trouvait de son côté afin de pouvoir lire plus commodément. Toutefois, avant de commencer, il contempla d'un air songeur le visage empourpré de son collègue. Il serait intéressant de voir la manière dont Lo allait mener son

(1) Voir *le Pavillon rouge*, Coll. 10/18, n° 1579, et *le Squelette sous cloche*, Coll. 10/18, n° 1621.

enquête. Un magistrat, songea-t-il, n'ayant pas le droit de quitter son district sans ordre exprès du Préfet, a très rarement l'occasion de voir travailler l'un de ses collègues. En outre, Lo était un personnage tout à fait hors du commun. Il possédait une fortune personnelle confortable, et l'on disait qu'il n'avait accepté son poste à Chin-houa que parce qu'il lui conférait une position officielle indépendante et la possibilité de se livrer à ses passe-temps favoris : le vin, les femmes et la poésie. Chin-houa a toujours été un poste difficile à pourvoir, car seul un magistrat doté de revenus personnels conséquents était susceptible de faire face aux frais d'entretien du palais résidentiel, et l'on chuchotait, dans les milieux officiels, que c'était principalement pour cette raison que Lo était maintenu à ce poste. Mais le juge Ti avait souvent eu le sentiment que cette réputation faite à Lo, d'être un bon vivant se désintéressant totalement des responsabilités de sa charge, était en grande partie fallacieuse et soigneusement cultivée, et qu'en réalité il administrait son district plutôt convenablement. Et d'ailleurs, ne venait-il pas d'être heureusement surpris par sa décision de se rendre immédiatement sur les lieux du crime ? Plus d'un magistrat aurait chargé l'un de ses sous-fifres de ces formalités routinières. Le juge déroula les documents. Le premier faisait état de renseignements officiels concernant le candidat assassiné.

Il s'appelait Song Aï-ouen, était âgé de vingt-trois ans et célibataire. Après avoir brillamment réussi son examen littéraire, il avait bénéficié d'une bourse afin de rédiger un mémoire sur l'histoire d'une ancienne dynastie. Song était à Chin-houa depuis quinze jours et s'était aussitôt présenté au tribunal pour demander l'autorisation d'y séjourner un mois. Il avait expliqué au conseiller Kao qu'il désirait consulter les archives historiques locales.

Quelques siècles plus tôt, au cours de la période que Song étudiait, une révolte paysanne avait éclaté à Chin-houa, et il espérait bien découvrir dans les archives des informations supplémentaires sur ce sujet. Le conseiller lui avait fourni un laissez-passer pour consulter les dossiers du tribunal. D'après la liste jointe en annexe, il apparaissait que Song avait passé tous ses après-midi à la bibliothèque du tribunal. Il n'y avait rien d'autre.

Les autres documents concernaient le propriétaire du candidat : le marchand de thé Meng Sou-chaï. Meng avait hérité ce négoce de son père. Il avait épousé dix-huit ans auparavant la fille d'un de ses collègues, Houang, qui lui avait donné une fille, aujourd'hui âgée de seize ans, et un fils, de quatorze ans. Il avait une concubine officielle. Les actes de mariage et de naissance étaient joints au dossier. Le juge Ti hocha la tête d'un air satisfait ; le conseiller Kao était de toute évidence un fonctionnaire consciencieux. Le négociant Meng avait aujourd'hui quarante ans ; il payait ponctuellement ses impôts et versait des fonds à des œuvres de charité. Il devait être bouddhiste, puisqu'il versait des oboles au Temple de la Subtile Clairvoyance, l'un des nombreux sanctuaires de la rue-du-Temple. A propos de bouddhisme, cela rappela quelque chose au juge Ti, et il poussa du coude son compagnon qui ronflait.

— Votre conseiller a bien parlé d'un frère fossoyeur tout à l'heure, de qui s'agit-il ? demanda-t-il.

— Un frère fossoyeur ? répéta Lo en le regardant d'un air endormi.

— Kao n'a-t-il pas dit qu'un Frère fossoyeur avait déjeuné chez vous ?

— Ah oui ! Vous avez certainement entendu parler de Frère Lou, non ?

— Non, jamais. J'évite de frayer avec ces gens-là.

En bon confucianiste, le juge Ti désapprouvait le bouddhisme, et la conduite scandaleuse des moines du Temple de la Sagesse Transcendantale, dans son propre district, n'avait fait que le renforcer dans son hostilité.

— Frère Lou n'appartient à aucune clique, Ti, repartit Lo en riant. Vous allez être ravi de faire sa connaissance, frère-né-avant-moi, et prendrez un véritable plaisir à sa conversation ! Maintenant que je me suis éclairci les idées, laissez-moi jeter un coup d'œil à ces papiers !

Le juge Ti lui tendit la liasse de documents et resta silencieux pendant tout le reste du trajet.

Un marchand de thé accueille
deux magistrats

III

Un marchand de thé
joue les détectives ;
un bonnet intrigue deux magistrats.

La demeure du marchand de thé était située dans une rue si étroite que le palanquin y passait à peine, mais les hauts murs de brique, surmontés de vieilles tuiles vertes, qui la bordaient de chaque côté, indiquaient qu'il s'agissait d'un ancien quartier résidentiel de la ville, habité par des gens aisés. Les porteurs firent halte devant un portail laqué de noir, abondamment orné de ferronnerie. Le chef des sbires qui attendait devant leva son fouet, dispersant le petit rassemblement de curieux. La double grille s'ouvrit toute grande, tandis que le dais du palanquin frôlait les gros chevrons noircis par les ans de la loge du gardien.

Descendant de la litière sur les pas du magistrat Lo, le juge Ti inspecta d'un regard l'avant-cour bien entretenue. De grands ifs dispensaient la bienfaisante fraîcheur de leur ombre, de part et d'autre des marches de granit menant à une vaste salle dont le plafond était soutenu par des piliers laqués de rouge. Un homme mince, vêtu d'une longue robe vert olive et coiffé d'un bonnet carré noir en crin plissé, descendit précipitamment les marches pour accueillir les visiteurs. Lo se porta à sa rencontre en quelques pas rapides et affectés.

— Vous êtes le négociant Meng, je suppose ? Merveilleux ! Ravi de faire la connaissance du propriétaire d'un de nos plus célèbres établissements de thé. Quelle horreur, un meurtre et un vol dans votre vénérable et distinguée demeure ! Et la veille de la Fête de la Mi-automne, qui plus est !

Monsieur Meng s'inclina profondément devant son hôte et se lança dans des excuses pour le désagrément qu'il causait aux fonctionnaires de la Justice. Mais le petit magistrat ne tarda pas à l'interrompre.

— Nous sommes constamment au service des citoyens, Monsieur Meng ! Constamment ! Soit dit en passant, ce monsieur est un de mes amis, un collègue qui se trouvait par hasard avec moi quand j'ai appris le meurtre.

Lo redressa sa coiffe de cérémonie, lui donnant une inclinaison des plus effrontées.

— Bon, conduisez-nous sur les lieux. Dans l'arrière-cour, si ma mémoire est bonne.

— Exactement, Votre Honneur. Puis-je me permettre de vous offrir tout d'abord quelques rafraîchissements ? Ainsi pourrais-je expliquer en détail à Votre Honneur la façon dont...

— Non, non, ne vous dérangez pas, mon cher ! Menez-nous donc dans l'arrière-cour, je vous prie.

Le marchand de thé eut l'air contrit, mais il s'inclina néanmoins avec résignation et conduisit le groupe par un passage couvert qui longeait la salle principale jusqu'à un jardin entouré de murs, vers l'arrière de la demeure, bordé de rangées de fleurs en pots. Deux servantes s'éclipsèrent prestement en voyant leur maître passer le coin en compagnie de deux hauts dignitaires. Le chef des sbires fermait la marche, en faisant cliqueter à chaque pas les menottes suspendues à sa ceinture. Monsieur Meng indiqua un long bâtiment :

— Ce sont les appartements de ma famille, Excellence. Nous allons les contourner en prenant cette allée sur la gauche.

Tandis qu'il empruntait l'étroite allée pavée qui courait sous l'auvent, longeant les fenêtres ajourées, laquées de rouge, le juge Ti aperçut un pâle visage dans une pièce : une jeune fille plutôt jolie, se dit-il.

Ils atteignirent un vaste verger où une grande variété d'arbres fruitiers semblaient inextricablement emmêlés.

— Ma défunte mère avait une passion pour la culture des arbres et des fleurs, expliqua le marchand de thé. Elle supervisait personnellement le travail des jardiniers. Depuis sa disparition, l'année dernière, je n'ai pas réussi à trouver le temps de...

— Oui, je vois, dit le magistrat en relevant les pans de sa robe pour ne pas se prendre dans les buissons d'épineux. Ces poires m'ont l'air délicieuses !

— Il s'agit d'une espèce particulière, Votre Honneur. Elles sont à la fois grosses et savoureuses. Ah ! l'arrière-cour que louait Monsieur Song se trouve juste derrière, vous pouvez apercevoir le toit du bâtiment. Votre Honneur comprend à présent pourquoi je n'ai entendu ni cri ni bruit à minuit. Nous...

Lo s'arrêta sur place.

— Hier soir ? Et pourquoi le meurtre ne nous a-t-il été signalé que ce midi ?

— C'est l'heure à laquelle on a découvert le corps, Excellence. Monsieur Song déjeunait toujours le matin de quelques gâteaux à l'huile achetés chez le marchand du coin et se faisait lui-même son thé. En revanche, à midi et le soir, ce sont mes servantes qui lui apportaient son riz. Comme Song n'ouvrait pas quand ma servante se présenta avec le riz de midi, elle est venue me chercher. J'ai frappé plusieurs fois à la porte et l'ai appelé. N'entendant aucun bruit à l'intérieur, j'ai craint qu'il ne fût gravement malade. C'est pourquoi j'ai ordonné à mon majordome d'enfoncer la porte et...

— Je vois. Eh bien, continuons !

Un sbire gardait la porte du bâtiment bas en

brique, au fond du verger. Il l'ouvrit précautionneusement, car le panneau était fendu et les gonds arrachés. En pénétrant dans la petite bibliothèque, le marchand de thé constata d'un air indigné :

— Voyez comme le meurtrier a saccagé cet endroit, Excellence ! Quand je pense que c'était la pièce préférée de ma mère. Après la mort de mon père, elle y venait presque tous les après-midi — c'était si tranquille — elle pouvait contempler ses arbres par la fenêtre. Elle s'asseyait là, au bureau, pour lire et écrire. Et aujourd'hui...

Il jeta un regard découragé sur le bureau en bois de rose, près de la fenêtre : les tiroirs en avaient été sortis, leur contenu dispersé sur le sol, papiers, cartes de visite et nécessaire à écrire, pêle-mêle. A côté du fauteuil garni de coussins, gisait une cassette en cuir rouge, au couvercle arraché. Elle était vide.

— Je vois que Madame votre mère aimait la poésie, remarqua le magistrat Lo avec satisfaction.

Il parcourut du regard les ouvrages aux titres inscrits sur des étiquettes rouges, empilés sur les étagères, contre le mur latéral. Ils étaient truffés de signets. Lo fut sur le point d'en prendre un, mais il se ravisa et demanda abruptement :

— La chambre se trouve derrière ce rideau, là-bas au fond, n'est-ce pas ?

Au signe affirmatif de Meng, Lo tira le rideau

d'un coup sec. La chambre était légèrement plus grande que la bibliothèque. Contre le mur du fond était poussé un simple châlit, aux couvertures tirées, et à la tête duquel se trouvait une petite table de nuit où une bougie s'était entièrement consumée. Au mur, une flûte en bambou était accrochée à un clou. En face, il y avait une coiffeuse en ébène sculptée. Le coffre à vêtements en peau de porc rouge avait été tiré de sous le lit et ouvert ; il contenait des vêtements masculins dans le plus grand désordre. Dans le mur du fond se découpait une porte massive, munie d'un gros verrou. Un homme trapu, en robe bleue, était agenouillé auprès du cadavre du jeune homme, étendu sur le sol. Le juge Ti découvrit par-dessus l'épaule de Lo que le candidat était un garçon maigre, aux traits réguliers, portant une petite moustache et une barbiche. Son chignon s'était défait, et ses cheveux étaient collés dans la mare de sang caillé sur le tapis. Son bonnet noir, taché de sang, gisait à côté de sa tête. Il était en robe de nuit blanche et avait aux pieds des chaussons de feutre dont les semelles portaient des traces de boue séchée. Il avait une vilaine blessure derrière l'oreille droite.

Le contrôleur des décès se releva prestement et s'inclina devant les magistrats :

— L'artère, sur le côté droit du cou, a été tranchée par un coup violent, Votre Honneur, porté sans doute avec un grand couteau ou un hachoir. Aux environs de minuit, à en juger par l'état du corps. Il était exactement ici, face contre terre. Je l'ai retourné pour vérifier s'il n'y avait pas d'autres traces de violence, et je n'en ai pas trouvé.

Le magistrat Lo murmura quelque chose, puis dirigea ses regards sur le marchand de thé qui était resté à l'entrée. Tortillant sa moustache entre le pouce et l'index, il examina Meng d'un air rêveur. Le juge Ti trouvait au marchand de thé un air plutôt distingué : un long visage émacié, dont la minceur était encore accentuée par une moustache tombante et une maigre barbiche.

— Vous aussi, Monsieur Meng, avez parlé de minuit, dit soudain Lo. Pourquoi minuit ?

— Une chose m'a frappé, Excellence, répliqua posément le marchand de thé. Monsieur Song était en chemise de nuit et son lit n'était pas défait. Or il se couchait tard ; la lumière brillait chez lui jusqu'à minuit. C'est pourquoi j'ai pensé que l'assassin avait surpris Song au moment où il allait se mettre au lit.

Lo hocha la tête.

— Comment le meurtrier est-il entré, Monsieur Meng ?

Le marchand de thé poussa un soupir, puis répondit en secouant la tête d'un air contrarié :

— J'ai l'impression que Monsieur Song était quelque peu distrait, Excellence. Les servantes ont confié à mon épouse que lorsqu'elles lui apportaient ses repas, il s'asseyait à table et rêvassait, sans leur répondre quand elles lui parlaient. Hier soir, il a oublié de cadenasser la porte de service de son appartement ainsi que de remettre la barre sur le portail du jardin. Suivez-moi, Votre Honneur, je vous prie.

Le sbire assis dans le petit jardin sur un banc branlant se mit vivement au garde-à-vous. Le juge Ti se dit que Lo avait fait diligence pour placer ses gens : poster des gardes à toutes les issues du lieu d'un crime était une précaution trop souvent négligée par nombre de magistrats insouciants. Il jeta un rapide coup d'œil à l'appentis qui servait de cuisine et de cabinet de toilette avant de rejoindre Lo et Meng qui franchissaient la petite porte ménagée dans le grand mur du jardin. Le chef des sbires les suivit dans l'allée qui longeait l'enceinte de la propriété de Monsieur Meng jusqu'à l'entrée principale et à la rue parallèle. Désignant les monceaux de détritus qui encombraient l'étroite ruelle, le marchand de thé remarqua :

— La nuit, il n'est pas rare que des vagabonds et des chiffonniers rôdent dans les parages, Excellence, pour fouiller ces tas d'ordures. J'ai toujours dit à Monsieur Song de bien veiller à mettre tous les soirs la barre à la porte du jardin. Il a dû aller faire un tour hier soir, et en rentrant oublier mes recommandations. D'ailleurs, il n'a pas fermé à clef non plus la porte de sa chambre, car elle était entrouverte lorsque j'ai découvert son cadavre. Quant à la porte du jardin, elle était fermée, mais sans la barre. Je vais vous montrer exactement comment je l'ai trouvée.

Monsieur Meng reconduisit ses hôtes dans le jardin. A côté de la petite porte, une lourde barre de bois était posée contre le mur du jardin.

— On peut aisément reconstituer les faits, Votre Excellence, poursuivit Monsieur Meng. Un malandrin s'est aperçu, en passant dans l'allée, que la porte du jardin n'était pas fermée. Il s'est glissé à l'intérieur, puis dans la maison, pendant que son occupant dormait. Mais Song, qui se préparait à se mettre au lit, le surprit. Voyant que le candidat était tout seul, le gredin n'a pas hésité à le tuer sur-le-champ. Ensuite, il a fouillé toute la chambre et la bibliothèque. En découvrant la cassette, il a pris l'argent et est reparti comme il était venu.

Le magistrat Lo hocha lentement la tête.

— Monsieur Song avait-il en général beaucoup d'argent sur lui ?

— Cela je l'ignore, Excellence. Il avait réglé un mois de loyer d'avance, mais il devait avoir au moins de quoi payer son voyage de retour à la capitale. Et il y avait probablement quelques babioles dans son coffre à vêtements.

— Nous ne serons pas longs à mettre la main sur notre lascar, Excellence, remarqua le chef des sbires. Ces gredins se mettent aussitôt à dépenser sans compter quand ils ont fait bonne pêche. Dois-je ordonner à mes hommes de faire le tour des gargotes et des tripots, Excellence ?

— Oui, absolument. Qu'ils se renseignent aussi discrètement chez les prêteurs sur gages. Mettez le corps dans un cercueil provisoire et faites-le transporter à la morgue. Nous devons également prévenir ses proches.

Le magistrat Lo se tourna vers le marchand de thé :

— Song a bien quelques amis ou parents en ville, n'est-ce pas ? s'enquit-il.

— Apparemment, il n'en avait aucun, Excellence. Personne ne s'est présenté chez moi pour le demander, et autant que je m'en souvienne, il n'a jamais reçu personne. Monsieur Song était un jeune homme sérieux et studieux, très solitaire. La première fois que je l'ai vu, je lui ai dit qu'il serait toujours le bienvenu pour une tasse de thé ou une petite conversation après dîner, mais au cours de ces deux semaines, il n'a pas répondu une seule fois à mon invitation. Cela m'a un tant soit peu surpris, Excellence, car c'était un jeune homme bien élevé et courtois. Et la moindre des politesses aurait été de...

— Très bien, Monsieur Meng, je vais dire à mon conseiller d'écrire au Ministère de l'Education, à la capitale, pour leur demander de prévenir la famille de Song. Retournons dans la bibliothèque.

Lo offrit au juge Ti le fauteuil du bureau, avant de prendre place sur une chaise curule, près de la bibliothèque, et choisit quelques livres qu'il entreprit de feuilleter.

— Ah, ah ! s'exclama-t-il. Votre mère était une femme de goût, Monsieur Meng ! Elle lisait aussi les œuvres des poètes mineurs, à ce que je vois. Mineurs, au regard des canons officiels, tout au moins.

Après avoir jeté un bref coup d'œil au juge Ti, il ajouta en souriant :

— Mon ami Ti, étant quelque peu conservateur, ne sera probablement pas de mon avis. Mais personnellement, je trouve ces poètes soi-disant mineurs plus originaux que ceux officiellement recensés par le Catalogue impérial. (Lo rangea l'ouvrage et en prit d'autres qu'il feuilleta, puis il poursuivit sans relever les yeux :) Puisque Monsieur Song n'avait ni parents ni amis à Chin-houa, Monsieur Meng, comment a-t-il su que vous aviez quelque chose à louer ?

— Il se trouve que j'étais allé voir le conseiller de Votre Honneur, Monsieur Kao, le jour où Song est venu se faire enregistrer, il y a deux semaines. Monsieur Kao, sachant que — ma mère étant morte — j'avais l'intention de louer cette partie de ma propriété, a eu l'amabilité de me présenter à Monsieur Song. Je suis donc rentré avec lui et lui ai montré l'endroit. Il en fut entièrement satisfait, et dit que c'était exactement le genre de logement calme qu'il désirait. Il a ajouté qu'au cas où ses recherches aux archives lui prendraient plus de temps que prévu, il prolongerait sa location. J'étais très content moi aussi, car il n'est pas facile de...

Le marchand de thé se tut car Lo visiblement ne l'écoutait plus. Il était absorbé par la lecture d'une bande de papier glissée dans l'ouvrage posé sur ses genoux. Le petit magistrat leva les yeux.

— Les commentaires de votre mère sont très pertinents, Monsieur Meng. Et elle avait une écriture remarquable !

— Elle faisait de la calligraphie tous les matins, Votre Honneur, et elle a continué en dépit de sa mauvaise vue. Mon père était lui aussi très versé dans l'art poétique, et ils discutaient très souvent ensemble les...

— Admirable ! s'exclama Lo. Vous pouvez vous enorgueillir de posséder un bel héritage littéraire, Monsieur Meng. J'imagine que vous-même perpétuez cette noble tradition ?

Le marchand de thé sourit d'un air contrit.

— Malheureusement, le ciel n'a répandu ses bienfaits que sur une seule génération, Votre Honneur. Je n'ai pas le moindre don pour la littérature, mais il paraît que mon fils et ma fille...

— Merveilleux ! Eh bien, Monsieur Meng, nous n'allons pas vous retenir plus longtemps. Vous êtes sans aucun doute pressé de vaquer à vos affaires. Votre magasin se trouve au carrefour de la grand-rue et de la rue-du-Temple, n'est-ce pas ? Avez-vous encore du thé amer du

Sud ? Oui ? Parfait ! Je vais dire à mon majordome de vous passer commande. Le meilleur thé qui soit après un bon repas. Je vais faire tout mon possible pour retrouver au plus vite le gredin qui a commis ce meurtre atroce. On vous tiendra au courant dès qu'il y aura du nouveau. Au revoir, Monsieur Meng.

Le marchand de thé salua profondément les deux magistrats avant d'être reconduit au-dehors par le chef des sbires. Une fois seul avec le juge Ti, Lo rangea soigneusement les livres sur l'étagère, puis se croisa les mains sur le ventre.

— Juste ciel ! s'exclama-t-il en roulant des yeux. Quel manque de chance, frère-né-avant-moi ! Nous voilà embringués dans une complexe histoire de meurtre avec préméditation, au moment où je devrais divertir des hôtes de marque, et non des moindres ! Et cela va me prendre d'autant plus de temps et d'attention que le meurtrier est diaboliquement intelligent, à ce que je vois. Vous êtes bien d'accord avec moi, Ti, le bonnet est la seule grave erreur qu'il ait commise, n'est-ce pas ?

IV

Un petit magistrat
joue de la flûte
et va choisir des danseuses.

Le juge jeta à son collègue un regard pénétrant puis se carra dans son fauteuil et lissa posément ses longs favoris.

— Oui, Lo, dit-il enfin, je suis entièrement d'accord avec vous : ce meurtre n'est pas l'œuvre d'un voleur attiré par l'occasion. Quand bien même admettrions-nous que Song ait été distrait au point d'oublier de mettre la barre à la porte du jardin et de fermer celle de sa chambre à clef, un voleur, découvrant une porte ouverte en pleine nuit, aurait fait une reconnaissance avant de s'introduire dans les lieux. Ainsi, il aurait par exemple percé un petit trou dans le papier de la fenêtre. Voyant que Song s'apprêtait à se coucher, il aurait attendu une heure ou deux et ne serait entré qu'après s'être assuré que le candidat était profondément endormi. (Comme Lo opinait énergiquement du bonnet, le juge poursuivit :) J'incline à penser qu'au moment où Song a ôté son bonnet et enlevé sa robe de dessus pour mettre une robe de nuit, prêt à se coucher, il a entendu quelqu'un frapper à la porte du jardin. Il a donc remis son bonnet avant d'aller voir qui c'était.

— Exactement ! s'écria Lo. Vous avez aussi remarqué la boue sèche qui maculait ses chaussons d'intérieur !

— En effet ! Song connaissait peut-être son visiteur. Le candidat a ôté la barre de la porte et l'a fait entrer, le faisant probablement attendre dans la bibliothèque pendant qu'il se changeait de nouveau. Quand Song eut le dos tourné, le visiteur le frappa par-derrière. Je dis bien par-derrière, car la plaie se trouve sous l'oreille droite de la victime. Quoi qu'il en soit, c'est effectivement une grave erreur que d'avoir laissé le bonnet à l'endroit où il est tombé. Car aucun homme ne garde son bonnet sur la tête en se déshabillant. Le meurtrier aurait dû en faire disparaître les taches de sang, et le mettre à sa vraie place : sur la table de nuit, à côté de la bougie.

— Absolument ! s'exclama Lo. Mais pour l'instant, nous continuerons à prétendre officiellement que l'assassin a tué pour voler, afin de ne pas alerter notre homme. Pour ce qui est du mobile, Ti, cela m'a tout l'air d'être du chantage.

— Du chantage ? s'étonna le juge en se redressant sur son siège. Qu'est-ce qui vous fait croire cela ?

Le petit magistrat prit un livre sur une étagère et l'ouvrit à une page marquée par une petite bande de papier griffonnée.

— Regardez, frère-né-avant-moi ! La mère de Meng était une vieille dame très soigneuse qui rangeait parfaitement ses livres. Or l'ordre des ouvrages a été bouleversé en maints endroits. En outre, chaque fois qu'elle tombait sur un poème qui lui plaisait particulièrement, elle rédigeait quelques annotations sur un morceau de papier comme celui-ci, et le glissait dans le livre exactement en face du poème en question. Or, en feuilletant quelques ouvrages tout en discutant avec le vieux Meng, je me suis aperçu que plus d'un signet avait été déplacé et remis si négligemment que certains étaient même pliés. Certes, je veux bien admettre que le candidat ait pu agir ainsi, mais je me suis également aperçu qu'il y avait des traces de doigts récentes sur la poussière de l'étagère, derrière les livres. D'après moi, l'assassin n'a fouillé la pièce que pour faire croire qu'un rôdeur avait cherché de l'argent, mais ce qu'il cherchait en fait, c'était un document. Et quelle meilleure cachette pour un papier important que les pages d'un livre précis, au cœur d'une bibliothèque bien fournie ? Et quand quelqu'un tient à découvrir ce document au point de ne pas hésiter à commettre un meurtre pour arriver à ses fins, on est enclin à penser qu'il s'agit d'un document compromettant ; et donc d'un chantage.

— Là, vous venez de marquer un point, Lo ! Ces notes confirment votre théorie selon laquelle le meurtrier cherchait en fait un document, ajouta le juge Ti en tapotant la pile de papiers entassés sur le bureau. Il s'agit des recherches historiques de Song. Les six premières pages sont couvertes de sa petite écriture de lettré appliqué, les quinze autres sont encore vierges. On voit que Song était un garçon méthodique, car il a numéroté chaque page. Or, les feuilles sont mélangées, et il y a des traces de doigts sur certaines feuilles vierges ; ce qui prouve que quelqu'un les a feuilletées. Et quel rôdeur se donnerait la peine de feuilleter une liasse de notes manuscrites ?

Lo se leva en poussant un soupir.

— Le lascar a sans doute trouvé le papier qu'il cherchait : il a eu toute la nuit pour cela ! Mais je pense, Ti, que nous devrions à nouveau inspecter les lieux, on ne sait jamais.

Le juge Ti se leva à son tour, et les deux hommes entreprirent de passer la bibliothèque au peigne fin. Après avoir trié et rangé dans les tiroirs les papiers éparpillés sur le sol, le juge remarqua :

— Il n'y a là que des factures, des quittances et autres papiers de la famille Meng. La seule chose qui appartînt à Song est cette petite brochure « Airs pour la Flûte droite », écrite de sa main et portant son sceau. C'est une partition complexe, inconnue de moi, en caractères abrégés, autant que je puisse en juger. Il y a une douzaine de morceaux environ, mais dépourvus de titres et de paroles.

Lo, qui venait d'examiner le sol sous le tapis, se releva et remarqua :

— Oui, Song jouait de la flûte. Il y en a une longue, en bambou, accrochée au mur de sa chambre. Je l'ai remarquée car j'en ai joué moi aussi.

— Avez-vous déjà vu ce système de notation ?

— Non, jamais. J'ai toujours joué à l'oreille, répondit fièrement Lo. Bon, passons dans la chambre, Ti, il n'y a rien ici.

Le juge glissa le recueil de musique dans sa manche et suivit le magistrat dans l'autre pièce. Le contrôleur des décès était occupé à rédiger son rapport d'autopsie. Le magistrat Lo prit la flûte suspendue à un clou par un cordon de soie. Relevant ses manches d'un geste décidé, il porta l'instrument à ses lèvres, mais ne réussit à produire que quelques surprenantes notes aiguës. Rabaissant vivement la flûte, il remarqua d'un air contrit :

— Je ne jouais pas trop mal, mais il y a longtemps que je ne m'y suis pas remis. C'est néanmoins une bonne cachette pour un document, une fois bien roulé...

Lo scruta l'intérieur de la flûte, avant de

secouer la tête, dépité. Puis les deux magistrats allèrent inspecter le contenu du coffre à vêtements, où ils ne découvrirent que les papiers d'identité de Song et quelques documents administratifs concernant ses examens littéraires. Il n'y avait aucune lettre ni note personnelles.

— D'après son propriétaire, rappela le juge Ti en époussetant sa robe, Song ne connaissait personne dans ce district. Par ailleurs, Meng reconnaît n'avoir vu que rarement son locataire. Nous devons interroger les servantes qui lui apportaient ses repas, Lo.

— Eh bien, je vous en charge, frère-né-avant-moi ! Il faut absolument que je rentre chez moi à présent : je dois présenter mes respects à mes honorables hôtes, n'est-ce pas. Et mes Première, Septième et Huitième Epouses m'ont dit ce matin qu'elles désiraient me consulter sur les achats à faire en vue de la Fête de la Lune.

— Parfait, je vais m'en occuper.

Et, tout en reconduisant son collègue à la porte, le juge poursuivit :

— Cette fête va être une grande joie pour nos enfants, Lo. Combien en avez-vous ?

Le visage de Lo s'éclaira d'un large sourire.

— Onze garçons et six filles, annonça-t-il fièrement, avant de prendre une mine tragique. J'ai huit épouses, voyez-vous. C'est une lourde charge, Ti. Affectivement, j'entends. Au début de ma carrière officielle, je n'avais que trois épouses, mais vous savez comment ça se passe.

On s'éprend ailleurs et l'on estime qu'il serait bien plus simple d'introduire la dame en sa demeure puis, un beau jour, vous apprenez que vous avez une nouvelle épouse ! Et il est navrant de voir la manière dont un tel changement de position peut affecter le caractère d'une femme, Ti. Quand je pense combien ma Huitième était charmante et accommodante du temps où elle était danseuse au Boudoir de Saphir... (Lo se frappa brusquement le front.) Juste ciel ! J'allais oublier ! Je dois m'arrêter au Boudoir de Saphir pour y choisir les danseuses qui animeront mon petit dîner de ce soir. Je mets toujours un point d'honneur à les choisir moi-même ; mes hôtes ont droit à ce qu'il y a de mieux. Bon, heureusement, le Boudoir de Saphir est tout près d'ici.

— C'est une maison de rendez-vous ?

Lo jeta au juge un regard réprobateur.

— Enfin, mon cher, vous n'y pensez pas ! Appelons ça une officine pour la promotion des talents locaux, ou un centre de formation aux arts d'agrément.

— Centre de formation ou officine pour ce que vous voudrez, répliqua le juge d'un ton sec, il ne serait pas surprenant que le candidat Song n'ait quelque nuit égayé philosophiquement sa solitude en ce boudoir. Il serait utile de savoir, Lo, si un jeune homme répondant à son signalement s'y est présenté.

— Oui, je vais me renseigner... Il faut également que je m'occupe d'une petite surprise pour ce soir, ajouta Lo en riant sous cape. Je vous la réserve tout spécialement, Ti !

— C'est absolument hors de question ! repartit le juge avec aigreur. Je vous avouerai que j'ai du mal à comprendre comment vous pouvez encore songer à batifoler alors que cette affaire de meurtre...

— Vous ne m'avez pas compris, frère-né-avant-moi ! s'exclama Lo en levant la main. Ma petite surprise est en rapport avec une étonnante énigme judiciaire.

— Ah bon, je... je vois, répondit le juge d'un air gêné. Quoi qu'il en soit, reprit-il vivement, il me semble que nous pouvons nous passer d'une affaire criminelle supplémentaire, Lo. Le meurtre de Song est bien assez déconcertant comme cela ! Si seulement ce malheureux candidat avait été originaire d'ici, nous aurions au moins su où chercher des indices et une piste. Mais il est tombé du ciel, pour ainsi dire, je crains donc...

— Vous savez bien, Ti, que je ne mélange jamais les affaires et les plaisirs, intervint Lo. Le meurtre de Song fait partie des affaires officielles. Quant à la surprise que je vous réserve, c'est un problème purement théorique, car ses suites judiciaires ne concernent aucun de nous deux. Vous rencontrerez la protagoniste principale lors du dîner de ce soir, Ti ! C'est une énigme qui va vous passionner !

Le juge Ti jeta à son collègue un regard méfiant.

— Lo, demandez, je vous prie, à l'intendant de m'amener la servante qui avait l'habitude de servir Song, dit-il soudain. Et envoyez donc un palanquin me chercher, voulez-vous ?

Tandis que le magistrat Lo s'engageait dans l'allée qui traversait le verger, deux gardes, portant une civière en bambou, s'écartèrent pour le laisser passer. Le juge Ti les fit entrer dans la chambre. Une fois le corps roulé dans une natte et placé sur le brancard, le juge lut le rapport officiel que lui avait remis le contrôleur des décès, avant de le glisser dans sa manche.

— Vous indiquez en tout et pour tout que le coup fatal a été porté par un objet tranchant. J'ai remarqué que la plaie n'était pas nette. Que penseriez-vous d'un ciseau à bois ou d'une lime, ou encore de quelque outil de charpentier ?

— C'est fort possible, Excellence, répondit le contrôleur des décès d'un ton pincé. Mais j'ai préféré ne pas m'avancer dans la mesure où nous n'avons pas retrouvé l'arme du crime.

— Très bien, vous pouvez disposer. Je remettrai votre rapport au magistrat.

Un vieil homme voûté fit entrer deux jeunes filles. Elles portaient toutes deux une robe bleue serrée à la taille par une large ceinture noire. La plus jeune était petite et n'était pas particulièrement jolie ; en revanche, la seconde avait un visage rond et sympathique, et son comportement indiquait qu'elle en avait parfaitement conscience. Le juge Ti leur fit signe de le suivre dans la bibliothèque. Une fois qu'il se fut installé dans le fauteuil, le vieux majordome poussa en avant la plus petite des servantes et déclara en s'inclinant fort bas :

— Voici Pivoine, Excellence. C'est elle qui servait à Song son riz de midi, faisait le ménage et son lit. Celle-là, c'est Aster. Elle lui apportait son repas du soir.

— Eh bien, Pivoine, commença le juge en s'adressant très gentiment à la petite fille disgraciée, Monsieur Song a dû vous donner bien du travail ; surtout lorsqu'il avait de la compagnie.

— Oh, non, Excellence ! Monsieur Song ne recevait jamais personne. Et un peu plus de travail ne me fait pas peur, car c'est une maison facile, depuis la mort de Madame. Il n'y a que le maître, la première et la seconde maîtresse, leur fils et leur fille. Ils sont tous très gentils, Excellence. Et Monsieur Song était un monsieur très gentil lui aussi. Il me donnait un petit pourboire quand je lui lavais son linge.

— Vous discutiez souvent ensemble, non ?

— Non, juste « bonjour », « bonsoir », Excellence. C'était un grand savant. Quand je pense que maintenant...

— Je vous remercie. Reconduisez Pivoine, dit le juge au majordome.

Une fois seul avec l'aînée des deux filles, le juge reprit :

— Pivoine est quelque peu rustique, n'est-ce pas, Aster ? Vous m'avez l'air beaucoup plus dégourdie et au courant de...

Le juge s'attendait à la voir sourire, mais Aster le regardait fixement, de ses grands yeux où brillait une lueur de crainte.

— Est-ce vrai ce qu'a dit le majordome, Excellence ? demanda-t-elle soudain. Qu'il a été égorgé ?

— Egorgé, dites-vous ? s'étonna le juge en levant les sourcils. Qu'est-ce que ces sottises ? Monsieur Song a eu la gorge tranchée par un...

Le juge s'interrompit au milieu de sa phrase, en repensant à la vilaine blessure au cou de Song.

— Parlez ! reprit-il avec humeur. Pourquoi avez-vous dit « égorgé » ?

— Monsieur Song avait une bonne amie, répondit-elle d'un air revêche en fixant ses mains jointes. Je sors avec le chef des serveurs de la grande maison de thé, à une rue d'ici, et l'autre soir, on était en train de bavarder au coin de la ruelle de derrière, quand Monsieur Song s'est glissé dehors, comme un voleur, tout vêtu de noir.

— L'avez-vous vu rejoindre son amie ?

— Non, Excellence. Mais il y a quinze jours, il m'a demandé si le bijoutier, derrière le Temple de Confucius, avait toujours de ces épingles à cheveux à têtes rondes. Il voulait certainement en faire cadeau à son amie. Et elle... elle l'a tué...

Le juge Ti lui jeta un regard perplexe.

— Mais que voulez-vous dire exactement ? lui demanda-t-il posément.

— C'était une renarde, Excellence ! Une renarde qui se faisait passer pour une jolie jeune fille, afin de mieux l'ensorceler. Et quand il fut entièrement à sa merci, elle l'a égorgé.

Devant le sourire méprisant du juge Ti, elle s'empressa de poursuivre :

— Il était envoûté, Excellence, je vous le jure ! Et il le savait, car un jour il m'a demandé s'il y avait beaucoup de renards par ici et où ils...

— Une jeune fille aussi raisonnable que vous, coupa le juge, a mieux à faire qu'à croire à ces histoires de sorcellerie. Les renards sont de charmantes petites bêtes, intelligentes et inoffensives.

— Ce n'est pas l'avis des gens d'ici, Excellence, répliqua-t-elle d'un air buté. Je vous dis qu'il a été ensorcelé par une femme-renarde. Vous auriez dû entendre les airs qu'il jouait le soir à la flûte ! Cette mystérieuse musique portait jusqu'à l'autre bout du verger ; je l'ai entendue alors que je coiffais la fille de mon maître.

— En passant devant les appartements de la famille Meng, j'ai aperçu une ravissante jeune fille qui regardait par la fenêtre. C'est la fille de Monsieur Meng, n'est-ce pas ?

— Oui, certainement, Excellence. Non seulement elle est belle, mais gentille et généreuse. Elle n'a que seize ans, et on la dit très douée pour la poésie.

— Revenons à votre ami, Aster. Monsieur Song s'est-il rendu dans la maison de thé où il travaille ? C'est tout près, m'avez-vous dit.

— Non, Excellence. Mon ami n'a jamais vu le candidat Song nulle part. Pourtant, il connaît bien toutes les maisons de thé et les gargotes des environs, trop bien ! S'il vous plaît, Excellence, ne parlez pas de mon ami à mon maître, il est très vieux jeu et...

— Ne vous inquiétez pas, Aster, je n'en ferai rien, promit le juge en se levant. Je vous remercie beaucoup.

Une fois dehors, il pria le majordome de le raccompagner à l'entrée principale où l'attendait une petite litière.

Tout en se laissant reconduire au tribunal, le juge pensa que le meurtre du candidat Song ne serait probablement pas élucidé avant son départ pour Pou-yang. Il s'agissait apparemment d'une affaire difficile. Enfin, le magistrat Lo saurait bien la démêler. Son collègue avait mené son enquête sur les lieux tambour battant et de plus il était extrêmement observateur. Il en viendrait certainement à la conclusion qu'il fallait chercher la solution à l'intérieur de la maison même. Le marchand de thé était bien trop pressé de les convaincre que le crime était l'œuvre d'un rôdeur venu du dehors. Il y avait toutes sortes de possibilités intéressantes.

Le juge sortit de sa manche les six pages de notes qu'avait rédigées le candidat Song et les lut attentivement. Puis il se carra confortablement sur la banquette et se tirailla les moustaches d'un air songeur. Les notes étaient détaillées. Y figuraient les noms de chefs rebelles que ne mentionnait pas l'histoire officielle, ainsi que des renseignements concernant la situation économique du district à l'époque de la révolte paysanne, deux siècles auparavant. Pourtant, le résultat semblait maigre, au regard des quinze après-midi que Song avait passés aux archives du tribunal. Le juge décida d'attirer l'attention de Lo sur l'éventualité que les recherches historiques de Song n'aient été qu'un prétexte, et que le jeune homme soit en réalité venu à Chin-houa pour une tout autre raison.

Il était curieux que cette superstition concernant les renards fût si fortement ancrée dans ce district. Dans tout le pays, la croyance populaire dotait le renard de pouvoirs surnaturels, et les conteurs du marché prenaient un malin plaisir à raconter des histoires de renards prenant l'apparence de belles jeunes filles pour ensorceler les jeunes gens, ou de vieillards vénérables pour débaucher d'innocentes jeunesses. En revanche, selon les classiques, le renard possédait des pouvoirs magiques contre les esprits malfaisants. C'est pourquoi il n'était pas rare de trouver dans les anciens palais et les bâtiments publics un petit autel consacré à l'esprit du renard, censé éloigner le mal et protéger tout particulièrement les sceaux officiels, emblèmes du pouvoir. Le juge se rappela avoir vu un tel autel dans la résidence de son collègue.

Il se demanda avec inquiétude quelle surprise pouvait bien lui réserver son ami au dîner, car il se méfiait de l'humour taquin propre à Lo. Qui sait quelle mauvaise plaisanterie il lui avait préparée ! Lo lui avait laissé entendre que l'un des invités était impliqué dans une affaire judiciaire. Il ne pouvait s'agir de l'Académicien, ni du poète de cour, tous deux hauts dignitaires et hommes de lettres réputés, assurément capables de démêler tout seuls leurs affaires, judiciaires ou autres ! Ce devait donc être ce mystérieux frère fossoyeur. Enfin, il ne tarderait pas à être éclairé. Le juge ferma les yeux.

V

Le juge Ti rêve de boire un thé ;
il se voit contraint de parler poésie
la gorge sèche.

En traversant le grand corridor du tribunal, en face des appartements de Lo, le juge Ti regarda machinalement la douzaine de fonctionnaires, occupés à écrire derrière leurs hauts bureaux chargés de dossiers et de papiers. Centre administratif de tout le district, le tribunal n'est pas seulement le siège de la cour de justice, mais c'est aussi là que l'on enregistre les naissances, les mariages, et les décès, ainsi que les actes de ventes et d'achats des biens fonciers ; en outre, c'est le tribunal qui collecte les impôts, entre autres les impôts fonciers. En franchissant la porte à claire-voie au bout du corridor, le juge aperçut à travers le lattis le conseiller, penché sur son bureau. Il ne connaissait Kao que de vue. Sans y réfléchir, il ouvrit la porte et pénétra dans le bureau scrupuleusement rangé.

Kao leva la tête et quitta précipitamment son siège.

— Veuillez vous asseoir, Excellence ! Puis-je vous offrir une tasse de thé ?

— Ne vous dérangez pas, Monsieur Kao. Je ne fais que passer, je suis attendu à la résidence. Le magistrat Lo vous a-t-il rendu compte de notre visite sur les lieux du meurtre de Song ?

— Mon maître était pressé de rejoindre ses invités, Excellence. Il s'est arrêté en coup de vent pour me demander d'informer le Ministère de l'Education de l'assassinat de Song, afin que ses proches soient prévenus. J'ai également demandé au Ministère de s'enquérir des désirs de la famille quant aux funérailles, ajouta-t-il en tendant au juge le brouillon de sa lettre.

— C'est parfait, Monsieur Kao. Vous devriez ajouter une demande de renseignements sur le passé du candidat Song, pour que son dossier soit complet.

Après avoir rendu son brouillon à Kao, il poursuivit :

— Monsieur Meng nous a dit que vous lui aviez présenté Song. Vous connaissez bien le marchand de thé ?

— Oui, très bien, Excellence. J'ai fait sa connaissance ici, dans un cercle d'échecs, juste après ma mutation de la Préfecture à Chin-houa, il y a cinq ans. Nous nous voyons une fois par semaine pour jouer aux échecs. C'est un homme d'une grande élévation d'esprit, Excellence. Plutôt conservateur, mais nullement vieux jeu. Et un joueur d'échecs redoutable !

— Il est donc à supposer que Monsieur Meng

tient parfaitement sa maison, n'est-ce pas ? Pas la moindre rumeur de relation clandestine ni de...

— Absolument pas ! Je dirais que c'est un foyer modèle ! Lors d'une visite de courtoisie, j'ai eu l'honneur d'être présenté à Madame sa mère, qui était alors encore de ce monde. Elle était très connue ici pour ses talents de poétesse, Excellence. Quant au fils de Monsieur Meng, c'est un garçon intelligent ; il n'a que quinze ans, mais il a déjà pratiquement terminé ses études en ville.

— En effet, Monsieur Meng m'a fait une très bonne impression. Eh bien, je vous remercie de vos renseignements, Monsieur Kao.

Le conseiller conduisit le juge Ti jusqu'au portail monumental des appartements privés du magistrat Lo. Au moment où le juge allait entrer, un soldat à l'impressionnante carrure sortit. Il portait la vareuse noire bordée de rouge de la Préfecture, un sabre dans le dos, et le long plumet rouge de son casque de fer indiquait qu'il était sergent de la garde. Le juge était sur le point de lui demander s'il avait apporté un message du préfet quand il se ravisa en découvrant la plaque de bronze ronde retenue à son cou par une chaîne, signe qu'il était en mission spéciale, chargé de convoyer un prisonnier à la capitale. Le grand officier traversa précipitamment la cour pour rattraper le conseiller Kao. Le juge se demanda un instant quel criminel important on pouvait bien avoir escorté jusqu'à Chin-houa.

Il se dirigea vers l'aile droite de la première cour et ouvrit la porte étroite, laquée de rouge, qui donnait accès à la courette et aux appartements que Lo avait mis à sa disposition. Elle était carrée et petite, mais harmonieuse, et ses hauts murs lui conféraient une agréable atmosphère de paisible intimité. Deux marches menaient à une galerie qui longeait la spacieuse chambre à coucher-salon. Au centre de la courette, pavée de carreaux de couleur, il y avait un petit bassin à poissons rouges, avec une rocaille. Le juge s'arrêta un instant sur la galerie aux poutres laquées de rouge et contempla le charmant spectacle : des touffes de minces bambous et un petit buisson de baies rouges rutilantes poussaient dans les anfractuosités de la rocaille couverte de mousse. De l'autre côté du mur, apparaissaient les cimes des grands érables du parc qui entourait la résidence. Une brise légère jouait dans leurs feuillages aux tonalités automnales chatoyantes : rouge, brun et jaune.

Le juge estima qu'il devait être aux environs de quatre heures. Il se retourna, fit glisser le panneau de lattis rouge et se dirigea droit vers la théière protégée de son panier moletonné, car il avait très soif. A son grand désappointement, il la trouva vide. Aucune importance, se dit-il, les deux autres invités allaient pouvoir lui offrir un thé. Mais devait-il ou non se changer ? Tel était le premier problème qu'il lui fallait résoudre. L'Académicien et le poète de cour étant tous deux ses aînés et d'un rang plus élevé, il devait donc de se présenter devant eux tel qu'il était : en habit de cérémonie. Mais d'autre part, ni l'un ni l'autre n'occupait pour l'heure de fonction officielle. L'Académicien avait pris sa retraite l'année précédente et Chang avait démissionné de son poste à la cour, afin de se consacrer entièrement à l'édition de ses œuvres poétiques complètes. Si le juge allait les voir en tenue de cérémonie, ils pourraient considérer cela comme un affront, une façon de leur bien montrer qu'il était contrairement à eux un dignitaire en exercice. Poussant un profond soupir, il pensa au vieil adage : « Il est plus facile de braver un tigre dans sa tanière que d'approcher un haut dignitaire. » Il opta finalement pour une robe violette à manches longues, avec une large ceinture noire, et un haut bonnet carré de gaze noire, espérant que sa tenue digne mais modeste serait approuvée, puis sortit.

Le juge avait déjà remarqué que si les bâtiments de l'avant-cour, dont ses propres appartements, n'avaient pas d'étage, ceux des autres cours en revanche, en avaient un, pourvu de larges balcons. Sur celui du grand bâtiment, au fond de la cour principale, allaient et venaient à présent des serviteurs et des servantes. Ils s'affairaient visiblement en vue du grand dîner du soir. Le juge estima que le personnel de son collègue devait se monter à une centaine de serviteurs au bas mot, et frémit en pensant au coût que représentait le train de vie d'un tel palais résidentiel.

Il héla un serviteur qui lui apprit que le magistrat Lo avait cédé à l'Académicien sa bibliothèque personnelle, située dans l'aile gauche de la seconde cour, et logé le poète de cour dans l'appartement d'angle de l'aile droite. Le juge ordonna au garçon de le conduire tout d'abord à la bibliothèque. Après avoir frappé au panneau sculpté, il entendit une voix grave le prier d'entrer.

Le juge vit au premier coup d'œil que Lo avait fait de sa bibliothèque un endroit agréable et confortable. C'était une pièce spacieuse au plafond haut, dont les claustras des grandes fenêtres composaient des motifs géométriques complexes qui se détachaient sur les panneaux de papier huilé immaculés. De belles étagères bien rangées couraient sur deux murs, interrompues çà et là par des niches dans lesquelles étaient disposés quelques vases et bols anciens de choix. Les meubles étaient en bois sculpté, le dessus des tables en marbre de couleur et sur les chaises il y avait des coussins de soie rouge. De grands vases posés sur des socles d'ébène et garnis de chrysanthèmes jaunes et blancs encadraient le banc massif placé devant la bibliothèque. Un homme corpulent et lourd y était assis, plongé dans sa lecture. Il abaissa l'ouvrage et regarda le juge Ti d'un air interrogateur en levant un de ses sourcils broussailleux. Il portait une large robe bleu saphir, échancrée au cou, et un bonnet de soie noire, orné sur le devant d'un disque de jade rond d'un vert translucide. Les longs pans de sa large ceinture nouée à la taille retombaient par terre. De courts favoris et un collier de barbe parfaitement taillé encadraient son large visage aux lourdes bajoues, selon la mode alors en vigueur à la Cour. Le juge savait que l'Académicien approchait de la soixantaine, mais sa barbe et ses favoris étaient encore noirs comme le jais.

Le juge s'avança, fit un profond salut et lui tendit respectueusement des deux mains sa carte de visite rouge. L'Académicien y jeta un rapide coup d'œil.

— Alors vous êtes Ti, de Pou-yang ! fit-il d'une grosse voix en glissant la carte dans sa vaste manche. Effectivement, le jeune Lo m'a appris que vous étiez parmi nous. C'est agréable ici, n'est-ce pas, mieux que cette chambre étriquée de l'auberge officielle où j'ai passé la nuit. Ravi de faire votre connaissance, Ti. Vous avez fait du bon travail à Pou-yang en nettoyant ce Temple. A présent, vous avez des ennemis à la Cour, mais aussi des amis. Tous les gens intègres ont à la fois des amis et des ennemis, Ti.

L'Académicien se leva et se dirigea vers le secrétaire. Prenant place dans le fauteuil, il désigna un tabouret bas.

— Eh bien, prenez donc ce siège en face de moi !

Le juge s'assit et commença à débiter les phrases de politesse convenues :

— La personne qui se trouve devant vous désirait depuis longtemps trouver l'occasion de présenter ses respects à Votre Excellence. Aujourd'hui que...

L'Académicien agita sa grosse main.

— Laissons tomber tout cela, voulez-vous ? Nous ne sommes pas à la Cour. Ce n'est qu'une simple réunion entre poètes amateurs. Vous écrivez aussi des poèmes, n'est-ce pas, Ti ?

Il fixait le juge de ses grands yeux où le noir des iris se détachait nettement du blanc.

— Très peu, répliqua le juge sur la défensive. J'ai appris la prosodie, bien sûr, quand je faisais mes études. Et j'ai lu nos célèbres anthologies classiques, admirablement éditées par vos soins. Mais pour ma part, je n'ai écrit qu'un seul poème.

— La gloire de plus d'un homme illustre repose sur un unique poème, Ti !... Bien entendu, vous avez déjà pris votre thé, je suppose, ajouta-t-il en approchant de lui la grande théière en porcelaine bleue.

Au moment où l'Académicien se servit une tasse, une délicate bouffée de jasmin parvint aux narines du juge Ti. Après avoir dégusté quelques petites gorgées, il reprit :

Le juge Ti rend visite à l'Académicien

— Alors, dites-moi, Ti, de quoi traitait donc votre poème ?

— C'était un poème didactique sur l'importance de l'agriculture, répondit le juge après s'être éclairci sa gorge sèche. J'ai essayé de résumer en une centaine de strophes toutes les directives pour les travaux des champs, en fonction des saisons...

L'Académicien lui jeta un regard médusé.

— Non ! Vraiment ? Mais pourquoi avez-vous choisi ce, euh... ce thème plutôt étrange ?

— J'ai pensé qu'une fois mises en vers, avec leur rythme et leurs rimes, ces directives seraient plus facilement assimilées par les simples paysans.

L'Académicien sourit.

— La plupart des gens trouveraient votre réponse stupide, Ti. Mais moi, non. Il est en effet facile de se rappeler les poèmes. Non seulement à cause des rimes, mais surtout parce qu'ils répondent aux pulsations de notre cœur et au rythme de notre respiration. Le rythme est la charpente de tout bon poème, et de la prose également. Récitez-m'en quelques vers, Ti !

Le juge s'agita sur son siège d'un air gêné.

— A vrai dire, il y a plus de dix ans que je l'ai écrit. J'ai bien peur de ne pas me souvenir du moindre vers. Mais si je puis me permettre, je vous en ferai parvenir une copie, car...

— Ne vous donnez pas cette peine, Ti ! Laissez-moi vous dire en toute sincérité que ce devait être un fort mauvais poème. S'il y avait eu quelques bons vers, vous ne les auriez pas oubliés. Dites-moi, avez-vous lu le « Palimpseste impérial adressé aux officiers et soldats de la Septième Armée » ?

— Je le connais par cœur ! s'exclama le juge Ti. Ce message d'exhortation à une armée en déroute a modifié l'issue de la bataille ! Ces premières phrases historiques...

— Exactement, Ti ! Vous n'oublierez jamais ce texte parce que c'était une prose excellente, qui battait au rythme du sang de tous les soldats, des généraux aux hommes de troupe. Voilà pourquoi on le récite encore aujourd'hui à travers tout l'Empire. C'est moi qui l'ai écrit pour Sa Majesté, soit dit en passant. Eh bien, Ti, dites-moi un peu ce que vous pensez de l'administration locale. J'aime avoir l'avis de jeunes fonctionnaires, voyez-vous. Occuper une haute charge à la Cour nous éloigne des fonctionnaires provinciaux et j'ai toujours considéré cela comme un des nombreux désagréments de ma position. Et les problèmes de districts m'intéressent énormément, Ti. C'est bien entendu l'échelon administratif le plus bas, mais il est néanmoins d'une importance fondamentale.

L'Académicien vida lentement sa tasse de thé sous le regard envieux du juge Ti, s'essuya soigneusement la moustache et reprit en souriant à ces souvenirs :

— J'ai moi-même commencé ma carrière

comme magistrat de district ! Mais je n'ai occupé qu'un seul poste car j'ai rédigé mon mémoire sur la réforme judiciaire, et l'on m'a promu préfet dans le Sud, puis muté ici-même ! C'était au moment où le Neuvième Prince se rebella, il y a quelque vingt ans. Et dire que nous nous trouvons aujourd'hui dans sa demeure ! Eh oui, le temps passe, Ti ! Bon, alors j'ai publié mes commentaires critiques sur les classiques et je fus nommé lecteur à l'Académie impériale. Je reçus l'autorisation de suivre Sa Majesté dans l'Auguste tournée d'inspection des Régions occidentales. Lors de ce voyage, je composai mes « Odes aux Montagnes du Séchouan ». C'est ce que j'ai fait de mieux, Ti.

L'Académicien ouvrit le col de sa robe, découvrant son cou large et musclé, ce qui rappela au juge qu'il avait été dans sa jeunesse un lutteur et un bretteur réputé, et prit le livre ouvert sur le bureau.

— J'ai découvert cela dans la bibliothèque de Lo : un choix de poèmes du conseiller Houang sur le Séchouan. Il a visité les mêmes endroits que moi. Nos impressions sont très intéressantes à comparer. Cette strophe est très bonne, mais... (Il se pencha sur la page puis secoua la tête.) Non, cette métaphore n'est pas très juste... (Se rappelant soudain la présence de son invité, il releva les yeux et dit en souriant :) Je ne devrais pas vous ennuyer avec tout cela, Ti. Vous avez certainement beaucoup à faire avant le dîner.

Le juge se leva. L'Académicien l'imita aussitôt et, malgré les dénégations de son visiteur, insista pour le raccompagner à la porte.

— Ravi de notre petite discussion, Ti ! C'est toujours passionnant d'avoir le point de vue de jeunes fonctionnaires. Cela donne, pour ainsi dire, un regard neuf sur les choses. A ce soir !

Le juge Ti se dirigea vivement vers l'aile droite, car sa gorge sèche avait grand besoin d'une bonne tasse de thé. De nombreuses portes donnaient sur la galerie, et il chercha en vain un serviteur qui pût lui indiquer quelle était celle de la chambre du poète de cour. C'est alors qu'il aperçut un homme mince, vêtu d'une robe gris passé, occupé à donner à manger aux poissons rouges d'un bassin de granit, au bout de la galerie. Il portait un bonnet plat noir, bordé d'une fine couture rouge. C'était apparemment l'un des intendants de son collègue. Le juge marcha à lui et lui demanda :

— Auriez-vous l'amabilité de me dire où je pourrais trouver l'Honorable Chang Lan-po ?

L'homme se redressa et le considéra de la tête aux pieds. Puis un pâle sourire retroussa ses lèvres minces que soulignait une barbiche grisonnante et broussailleuse.

— Le voici, dit-il d'une voix morne. Je suis Chang Lan-po, pour ne rien vous cacher.

— Oh, veuillez m'excuser ! répondit le juge

en s'empressant d'offrir cérémonieusement au poète une de ses cartes de visite. Je suis venu vous présenter mes respects.

Le poète considéra la carte de visite d'un air absent.

— C'est très aimable à vous, Ti, dit-il machinalement. (Montrant le bassin, il poursuivit d'un ton plus animé :) Regardez ce petit poisson, là, sous les herbes, dans le coin ! Remarquez-vous la lueur perplexe qui brille dans ses gros yeux proéminents ? Il me fait irrésistiblement penser à nous, les hommes... observateurs ahuris. Pardonnez-moi, je vous prie, ajouta-t-il en relevant la tête. L'élevage des poissons est un de mes passe-temps favoris ; j'en oublie toute politesse. Depuis quand êtes-vous ici, Ti ?

— Je suis arrivé avant-hier.

— Ah oui ! J'ai entendu dire que le Préfet avait convoqué les magistrats. J'espère que vous vous plaisez à Chin-houa, Ti ; je suis originaire de cette province, voyez-vous.

— C'est une belle ville, et je suis extrêmement honoré d'avoir enfin l'occasion de rencontrer son plus distingué et brillant...

— Non, pas brillant, interrompit le poète en secouant la tête. Absolument plus, malheureusement. (Il remit dans sa manche la petite boîte d'ivoire qui contenait la nourriture des poissons.) Excusez-moi, Ti, mais je ne me sens pas très bien aujourd'hui. La visite à l'autel de mes ancêtres m'a replongé dans le passé... (Il s'interrompit et jeta un regard timide à son visiteur.) Je serai un peu plus brillant ce soir, au dîner. Il le faudra bien, car mon ami l'Académicien m'entraîne chaque fois dans des polémiques littéraires. Il possède une connaissance véritablement encyclopédique de la littérature, Ti, et une maîtrise de la langue inégalée. Peut-être est-il quelque peu hautain, mais... J'espère que vous êtes allé le voir avant de venir ici, non? ajouta-t-il d'un ton inquiet.

— Oui, bien sûr.

— C'est parfait. Je dois vous avertir qu'en dépit de ses airs bohèmes, Chao se fait une très haute idée de sa position et se vexe pour un rien. La petite réunion de ce soir va vous plaire, Ti, j'en suis convaincu. On ne risque pas de s'ennuyer avec Frère Lou! Et c'est un rare privilège que de rencontrer notre fameux collègue aujourd'hui si célèbre. Nous devons... (Il se ferma la bouche d'un geste brusque de la main.) J'ai failli trop parler! Lo, notre ami commun, m'a fait jurer le secret! Il adore les petites surprises, comme vous le savez certainement. Bon, je suis désolé de ne pas vous proposer un thé, mais je me sens vraiment fatigué, Ti, je vais faire un petit somme avant dîner. J'ai très mal dormi cette nuit, l'auberge était si bruyante...

— Mais oui, je comprends parfaitement, c'est bien naturel!

Le juge prit congé du poète en le saluant

respectueusement, les mains glissées dans ses longues manches.

En sortant de la galerie, il décida, à présent qu'il avait accompli ses devoirs de courtoisie, de mettre la main sur Lo pour lui faire part de ce que lui avait appris la petite servante du marchand de thé ; et de se faire enfin offrir une tasse de ce breuvage.

VI

Deux magistrats polémiquent sur l'existence des femmes-renardes ; une petite surprise attend le juge Ti.

Le juge Ti se rendit au bureau de Kao et lui demanda si le magistrat Lo pouvait le recevoir. Le conseiller réapparut quelques minutes plus tard.

— Mon maître serait ravi de vous voir, Excellence. Il est dans son cabinet particulier, au fond... J'espère que vous parviendrez à lui remonter le moral, Excellence, ajouta-t-il timidement.

Le petit magistrat, installé dans un fauteuil garni de coussins, derrière un gigantesque bureau en ébène polie, contemplait d'un air maussade la pile de documents amoncelés devant lui. Il se leva d'un bond à l'entrée du juge en s'écriant :

— Tous ces soi-disant experts du Calendrier de notre Ministère des Rites devraient être renvoyés, Ti ! Tous, sur-le-champ ! Ils ne connaissent rien à leur travail ! Ces imbéciles ont prétendu que ce jour était particulièrement faste, et depuis midi, presque tout va de travers !

Il se laissa retomber sur son siège, gonflant de rage ses grosses joues.

Le juge Ti prit place dans le fauteuil avancé près du bureau et se servit une tasse de thé chaud. Après l'avoir bue avec avidité, il s'en versa une seconde puis, confortablement installé, poussa un soupir d'aise et écouta en silence les doléances de son collègue.

— Tout d'abord, nous avons eu ce vilain meurtre du candidat Song, juste après un copieux repas, ce qui m'a gâché la digestion. Ensuite, la tenancière du Boudoir de Saphir m'a appris que sa meilleure danseuse était malade. Je devrai me contenter ce soir de deux danseuses de second ordre et, pour le clou du spectacle, d'une gamine qui se nomme Petit Phénix et dont la mine ne me revient pas : petit visage niais et maigre comme un clou, si j'ose dire ! Passez-moi donc la théière, voulez-vous ? (Lo resservit le juge Ti avant de se servir lui-même une tasse de thé, en but une gorgée et reprit :) Pour finir, la bonne surprise que je vous réservais est tombée à l'eau. L'Académicien et le poète de cour vont être terriblement déçus eux aussi. En outre, nous ne serons plus que cinq à table : vous et moi, Chao, Chang et Frère Lou. Un chiffre impair à table porte malheur. Et le Calendrier précise pourtant qu'il s'agit d'un jour faste ! Bah !... Alors, quoi de neuf à propos de notre meurtre ? demanda-t-il avec humeur en reposant bruyamment sa tasse. Le chef des sbires est venu me dire il y a un instant que ses hommes n'avaient pas découvert la moindre trace d'un bandit claquant son argent sans compter ; cela n'a d'ailleurs rien d'étonnant.

Le juge but sa troisième tasse de thé.

— Aux dires d'une des servantes affectées au service de Song, il était déjà venu à Chin-houa. Apparemment, il avait une petite amie ici.

— Diable ! s'exclama Lo. En tout cas, certainement pas au Boudoir de Saphir. Je l'ai décrit aux filles, elles ne l'ont jamais vu.

— Par ailleurs, poursuivit le juge, je soupçonne Song d'être venu ici pour une raison qu'il tenait à garder secrète et que ses recherches historiques n'aient été qu'un prétexte. (Sortant de sa manche les notes de Song, il les tendit à Lo.) Ces six petits feuillets représentent toutes les notes qu'il a prises au cours de ces quinze jours !

Lo parcourut les pages en hochant la tête d'un air entendu.

— Song a passé tous ses après-midi aux archives pour sauver les apparences, poursuivit le juge. C'est la nuit qu'il s'occupait de ses véritables affaires. La servante l'a vu sortir furtivement un soir, vêtu de noir.

— Pas le moindre indice, Ti, de l'endroit où il se rendait ni de ce qu'il faisait ?

— Non, la servante connaît un garçon de la

maison de thé voisine, qui m'a tout l'air d'être un joyeux luron, mais il n'a jamais vu Song dans ces parages. Cette servante croit aux histoires de renardes, ajouta-t-il après s'être éclairci la gorge. Elle soutient que l'amie de Song en était une, et qu'elle l'a tué !

— Ah oui, c'est vrai, le renard joue un grand rôle dans le folklore local, Ti. Un autel lui est consacré dans la résidence ; il est censé la protéger. Et il y en a un grand dans une friche abandonnée, non loin de la porte Sud. Les gens prétendent que le lieu est hanté. Eh bien, Ti, gardons-nous bien de mêler la sorcellerie à toute cette affaire ! Elle est bien assez compliquée comme cela !

— Je suis tout à fait d'accord avec vous, Lo. Vous n'écartez pas non plus l'éventualité qu'il s'agisse d'une affaire domestique, n'est-ce pas ?

— Non, en effet. Monsieur Meng jouit d'une des meilleures réputations qui soient, mais cela ne veut rien dire, naturellement. Il a pu avoir fait la connaissance de Song lors de son premier séjour dans la province ; en outre, Ti, il s'est livré à sa petite enquête personnelle après avoir découvert le corps. De plus, il mourait d'envie de nous faire partager sa théorie. Rien ne lui était plus facile que de faire le tour de sa propriété et de frapper à la porte de son propre jardin ! Et cette histoire de petite amie ne me dit rien qui vaille. Je n'aime pas ça du tout ! Qui dit femmes dit ennuis... remarqua-t-il en soupirant.

Quoi qu'il en soit, il n'y a pas d'audiences demain au tribunal, à cause de la Fête de la Mi-automne. Cela nous laisse au moins un certain délai.

Lo se servit une autre tasse de thé et sombra dans un silence maussade.

Le juge Ti le regarda d'un air expectatif, attendant qu'il lui expliquât comment il envisageait de poursuivre ses investigations. Si l'affaire s'était produite à Pou-yang, il aurait aussitôt ordonné à ses trois lieutenants, Ma Jong, Tsiao Taï et Tao Gan, de glaner des informations dans les parages de la propriété de Meng, sur le marchand de thé, sa famille et son locataire. Des agents expérimentés pouvaient collecter chez les marchands de légumes, les poissonniers et les bouchers une quantité de renseignements impressionnante. Sans compter ce qu'ils pouvaient apprendre des marchands ambulants et des vendeurs en plein air auprès desquels se retrouvaient les porteurs de palanquin et les coolies. Voyant que son collègue restait silencieux, le juge Ti déclara :

— Nous ne pouvons rien faire ce soir, à cause du dîner. Avez-vous détaché des membres de votre personnel pour approfondir les recherches ?

— Non, Ti, je n'emploie le personnel du tribunal qu'aux tâches routinières. Toutes les enquêtes confidentielles sont menées par mon vieil intendant. (Devant la mine stupéfaite du juge Ti, Lo s'empressa d'ajouter :) Ce vieux bougre est né et a grandi ici, voyez-vous ; la ville n'a pas de secret pour lui. Il a trois parents éloignés, des types très malins, qui travaillent respectivement chez un prêteur sur gages, un orfèvre et dans un restaurant populaire du marché. Je les paie généreusement de mes propres deniers pour me servir d'indicateurs et d'agents de renseignements. Cela fonctionne assez bien, tout en me permettant de garder le contrôle sur mon conseiller ainsi que sur le reste du tribunal.

Le juge hocha lentement la tête. Lui-même se reposait en toute confiance sur son vieux conseiller Hong et ses trois lieutenants. Mais tout magistrat était libre d'agir à sa guise, et le système de Lo ne semblait pas trop mauvais ; d'autant plus qu'à l'occasion de son dernier séjour, il avait pu juger personnellement de l'habileté de son vieil intendant.

— Avez-vous demandé à votre intendant de... commença-t-il, quand on frappa à la porte.

— Une Demoiselle Yo-lan souhaiterait être reçue, Excellence, annonça le chef des sbires du pas de la porte.

Le visage de Lo s'illumina d'un grand sourire.

— Elle a sans doute changé d'avis ! s'exclama-t-il en frappant du poing sur son bureau. C'est peut-être un jour faste, après tout ! Faites-la entrer, mon brave ! Tout de suite ! (Et il dit au juge Ti en se frottant les mains :) A ce que je vois, la petite surprise que je vous réservais va avoir lieu, frère-né-avant-moi !

Le juge leva les sourcils.

— Yo-lan ? Qui est-ce ?

— Mon cher ami ! Vous n'allez pas me faire croire que vous, l'un des plus grands spécialistes en criminologie, n'avez jamais entendu parler du meurtre de la servante, au Monastère du Héron blanc ?

Le juge Ti sursauta sur son siège, bouche bée.

— Grands dieux, Lo ! Ne me dites pas qu'il s'agit de l'affaire de cette abominable nonne taoïste qui fouetta à mort sa servante ?

— Elle-même, Ti ! s'exclama joyeusement Lo. La grande Yo-lan, courtisane, poétesse, nonne taoïste, célèbre...

Le juge était devenu blême de rage.

— Une monstrueuse criminelle, oui ! s'écria-t-il furieux.

— Du calme, Ti, du calme, je vous en prie ! répliqua le magistrat Lo en levant sa petite main potelée. Pour commencer, dois-je vous rappeler que de l'avis unanime des milieux littéraires, elle a été accusée à tort ? Son cas a été jugé par le tribunal du district, de la Préfecture, puis de la province, et aucun n'a pu prononcer de verdict. C'est la raison pour laquelle on l'emmène à présent à la capitale, où elle sera jugée par la Cour Métropolitaine de Justice. Ensuite, elle est indubitablement la femme écrivain la plus accomplie de l'Empire. L'Académicien et le poète de cour la connaissent tous deux très bien, et ils ont été enchantés d'apprendre que j'avais demandé à son escorte de l'autoriser à s'arrêter un ou deux jours chez moi. (Le magistrat Lo se tut un instant en tiraillant sa moustache.) Or, quand je suis allé la voir cet après-midi, à l'auberge, derrière le Boudoir de Saphir, où elle est descendue avec son escorte, elle refusa tout net mon invitation, prétendant qu'elle ne voulait pas revoir ses anciens amis avant d'avoir été lavée de tout soupçon. Vous imaginez un peu mon humiliation, Ti ! J'avais espéré pouvoir vous offrir l'occasion de parler de l'affaire criminelle la plus sensationnelle de l'année avec l'accusée en personne ! Je vous propose une intrigue passionnante qui a mis en échec trois enquêtes judiciaires, je vous l'offre sur un plateau, si je puis dire ! Je sais que la poésie n'est pas précisément votre fort, Ti, et je désirais vous fournir quelque chose de plus approprié à vos goûts.

Le juge Ti lissa sa longue barbe, tout en se remémorant les détails du meurtre.

— J'apprécie votre intention, Lo. Mais je continue à souhaiter qu'elle ne vienne pas. Car en matière d'intrigues, nous avons...

La porte s'ouvrit. Le chef des sbires introduisit une femme élancée, en veste et robe noires. Ignorant le juge Ti, elle se dirigea droit vers le bureau et s'adressa à Lo d'une voix profonde et mélodieuse :

— Je dois vous dire que j'ai changé d'avis, Magistrat. J'accepte votre aimable invitation.

— Parfait, ma chère, parfait ! Chao et Chan sont tous deux impatients de vous revoir. Frère Lou est ici aussi, savez-vous. Et permettez-moi de vous présenter un autre de vos admirateurs, mon ami Ti, le magistrat de Pou-yang. Ti, je vous présente la grande Yo-lan !

Cette dernière jeta au juge un regard distrait et le salua négligemment. Quand il eut répondu à son salut par un petit signe de tête, elle reporta son attention sur le petit magistrat qui s'était lancé dans une description détaillée des appartements qu'il lui avait fait préparer, à côté de ceux de ses épouses, à l'arrière de la résidence.

Le juge lui donnait une trentaine d'années environ. Elle avait dû être très belle. Ses traits étaient encore réguliers et expressifs, mais des poches étaient apparues sous ses yeux ainsi qu'un pli profond entre ses longs sourcils à la courbe gracieuse, et de petites rides bordaient sa bouche charnue, vermeille, que mettait en valeur la pâleur de son visage. Ses cheveux étaient remontés en trois rouleaux noirs comme le jais, retenus par deux simples épingles d'ivoire. La stricte robe noire accentuait la plénitude de ses hanches, la finesse de sa taille et les rondeurs un peu trop imposantes de sa poitrine. Lorsqu'elle se pencha sur le bureau pour se servir une tasse de thé, il remarqua combien ses mains, parées de bagues et de bracelets, étaient blanches et nerveuses.

— Je vous remercie mille fois de tout ce que vous avez fait pour moi, dit-elle en coupant court aux explications de son hôte, avant de poursuivre avec un doux sourire : Et surtout de m'avoir prouvé que j'avais encore des amis ! Je commençais à croire ces dernières semaines que j'étais abandonnée de tous... Si je comprends bien, il va y avoir un dîner ce soir ?

— Exactement, mais ce sera quelque chose de très simple, chez moi. Demain soir, nous irons tous à la Falaise d'Emeraude pour y célébrer ensemble la Fête de la Mi-automne !

— Tout cela est très alléchant, Magistrat. Surtout après six semaines passées dans diverses prisons. Je dois avouer qu'ils m'ont fort bien traitée, mais quand même... Eh bien, dites à votre chef des sbires de me conduire à votre résidence et de me présenter à l'intendante des appartements de vos épouses. Il faut que je me repose et me change avant le dîner. Les femmes aiment briller de tout leur éclat en de telles occasions, quand bien même ne seraient-elles plus de la première jeunesse !

— Mais faites donc, ma chère ! s'exclama Lo. Prenez tout votre temps ! Nous dînerons tard et festoierons jusqu'à une heure avancée de la nuit, comme les anciens !

— Ah, au fait ! Petit Phénix est avec moi,

ajouta la poétesse au moment où Lo rappelait le chef des sbires en frappant dans ses mains. Elle désirait jeter un coup d'œil à la salle où elle doit danser ce soir. Vous avez fait un excellent choix, Magistrat. Faites entrer la jeune fille ! ordonna-t-elle en s'adressant au chef des sbires.

Une mince jeune fille de dix-huit ans environ entra et fit une révérence. Elle portait une robe bleu foncé toute simple, serrée autour de sa taille de guêpe par une large ceinture rouge. Le magistrat Lo la détailla d'un œil critique, les sourcils froncés.

— Ah oui ! Ha, ha, hum... bafouilla-t-il. Eh bien, chère petite, cela m'étonnerait que vous trouviez à redire à la salle de réception !

— Allez, ne faites pas le méchant, Magistrat ! intervint sèchement la poétesse. Elle prend son art très à cœur et désire adapter ses danses à l'espace disponible. Elle dansera ce soir sur ce morceau merveilleux : « Un Phénix parmi les Nuages pourpres ». C'est sa prestation la plus populaire, et le titre lui convient tellement bien ! Approche, ma chérie, ne sois pas timide ! N'oublie jamais qu'une jolie fille n'a aucune raison d'avoir peur des messieurs, hauts dignitaires ou pas !

Quand la danseuse releva la tête, le juge Ti fut frappé par son singulier visage : son long nez et ses grands yeux éteints aux coins extérieurs nettement relevés le faisaient ressembler à un masque. Dégageant son grand front lisse, ses cheveux étaient tirés en arrière et simplement retenus à la base de son cou frêle. Elle avait des épaules anguleuses et de longs bras minces. Il se dégageait de toute sa personne un charme équivoque, asexué. Le juge n'eut aucun mal à comprendre la déception de son collègue, connaissant le goût de Lo pour les femmes plantureuses.

— L'humble personne ici présente déplore la médiocrité de ses talents, susurra la danseuse d'une toute petite voix. C'est un grand honneur pour moi de pouvoir danser devant une assemblée aussi distinguée.

— C'est bien, ma chérie, conclut la poétesse en lui tapotant gentiment l'épaule. Je vous reverrai ce soir au dîner, Messieurs !

Après un rapide salut, elle quitta vivement la pièce, suivie de la timide danseuse.

Le magistrat Lo leva les bras au ciel en s'exclamant :

— Cette femme a tout pour elle ! Une grande beauté, un talent extraordinaire et une étonnante personnalité. Dire qu'un funeste destin me l'a fait rencontrer trop tard !

Tout en hochant la tête d'un air navré, Lo ouvrit un tiroir d'où il sortit un volumineux dossier.

— J'ai réuni à votre intention, Ti, des copies de tous les documents concernant le crime, pensant que vous désireriez connaître en détail l'affaire du Héron blanc. Pour que vous vous y retrouviez, j'y ai joint un résumé succinct de sa carrière. Vous devriez peut-être y jeter un coup d'œil avant le dîner...

Le juge se sentit touché. Son collègue avait visiblement tout fait pour qu'il ne risquât pas de s'ennuyer.

— Je vous remercie infiniment de votre attention, Lo ! déclara-t-il chaleureusement. Vous êtes vraiment un hôte parfait !

— Ce n'est rien, frère-né-avant-moi ! Ce fut très vite fait !

Jetant un rapide coup d'œil au juge, il poursuivit d'un ton un peu contrit :

— Hum... je dois vous avouer que j'ai une petite idée derrière la tête, Ti. Voilà, j'avais l'intention de publier un jour une édition annotée de l'œuvre poétique complète de Yo-lan, voyez-vous. J'en ai déjà rédigé la préface. Une inculpation de meurtre compromettrait définitivement mon entreprise, cela va de soi. J'ai pensé que vous pourriez peut-être l'aider à prouver irrévocablement son innocence, frère-né-avant-moi. Vous avez un tel talent pour rédiger tous ces documents juridiques... Vous me suivez ?

— Parfaitement, répliqua sèchement le juge.

Après avoir jeté un regard glacial à son collègue, il se leva et glissa le dossier sous son bras.

— Eh bien, autant me mettre à l'œuvre tout de suite.

VII

Une affaire intrigante passionne le juge Ti ;
la perspective d'un joyeux festin
ne l'enthousiasme guère.

Alors qu'il franchissait le portail principal de la résidence, le juge Ti s'arrêta net et jeta un regard stupéfait au personnage loqueteux qui se tenait à la porte de ses appartements. C'était un gros homme courtaud, à la tête ronde et rasée, vêtu d'une vieille robe de moine toute rapiécée, chaussé de larges sandales de paille éculées. Se demandant comment un tel miséreux avait pu pénétrer dans la résidence, le juge alla à sa rencontre.

— Que désirez-vous ? s'exclama-t-il sans aménité.

L'individu se retourna et fixa le juge de ses gros yeux protubérants.

— Ha, magistrat Ti ! dit-il d'un air bourru. Je suis passé vous voir il y a un instant, mais il n'y avait personne.

Il avait une voix plutôt grossière mais s'exprimait avec éducation et autorité. Soudain, le juge comprit.

— Enchanté de faire votre connaissance, Frère Lou. Le magistrat Lo m'a dit que...

— Vous déciderez plus tard si vous êtes enchanté ou non de m'avoir rencontré, Ti ! coupa le moine.

Ses yeux fixaient un point derrière le juge, et celui-ci ne put s'empêcher de regarder par-dessus son épaule. La cour était déserte.

— Non, Excellence, vous ne pouvez les voir. Pas encore. Mais ne vous inquiétez pas : les morts sont toujours parmi nous. Partout.

Le juge Ti lui jeta un long regard. L'affreux personnage le mettait quelque peu mal à l'aise. Pour quelle raison Lo... ?

— Vous vous demandez pourquoi Lo a bien pu m'inviter, n'est-ce pas, Ti ? En ma qualité de poète, ou plutôt d'écrivain de sentences. Mes poèmes ne font en effet jamais plus d'une ou deux lignes. Vous ne les avez certainement pas lus, Ti ; vous qui ne vous intéressez qu'aux paperasses officielles ! s'exclama-t-il en désignant de son gros index le dossier que portait le juge sous le bras.

— Entrons prendre une tasse de thé, proposa le juge Ti en lui ouvrant courtoisement la porte.

— Je vous remercie, j'ai quelque chose à prendre dans ma chambre avant d'aller faire une course en ville.

— Où se trouvent vos appartements, Frère Lou ?

— J'habite près de l'autel du renard, dans le coin droit de la cour principale.

— Ah oui, Lo m'a parlé de cet autel, remarqua le juge en esquissant un sourire.

— Et pourquoi donc le magistrat Lo ne conserverait-il pas cet autel, hein ? rétorqua le moine avec agressivité. Les renards font partie intégrante de la vie universelle, Ti. Leur monde a autant d'importance, ou aussi peu, que le nôtre. Et de même qu'il existe des affinités électives entre deux êtres humains, de même certains d'entre eux sont liés à un animal particulier. Rappelez-vous que les signes du zodiaque, qui influent sur nos destins, sont représentés par des animaux, Ti ! (Il scruta intensément le visage du juge, tout en frottant ses joues poilues.) Vous êtes de l'Année du Tigre, n'est-ce pas ? demanda-t-il brusquement au juge.

Devant le signe d'approbation du magistrat, les lèvres épaisses de l'affreux moine se retroussèrent en un rictus affecté, le faisant ressembler à un crapaud.

— Un tigre et un renard ! Que demander de mieux !

Soudain, son visage s'affaissa, creusant de profondes rides de part et d'autre de son nez charnu.

— Vous feriez bien d'être vigilant, Ti ! déclara-t-il d'un ton lugubre. Il y a eu un meurtre hier soir, à ce que je sais, et il s'en prépare un second. Ce dossier sous votre bras porte le nom de Yo-lan ; elle risque la peine de mort. D'autres morts vous tiendront bientôt compagnie, Ti !

Le moine releva sa grosse tête ronde et fixa de nouveau un point au-delà du juge, les yeux brillant d'une étrange lueur.

Le juge Ti ne put s'empêcher de frissonner. Avant qu'il ait pu répondre quelque chose, le moine poursuivit, du ton agressif qui lui était habituel :

— N'attendez aucune aide de ma part, Excellence. Je tiens la justice des hommes pour une piètre mascarade, et je ne lèverai pas le petit doigt pour attraper un criminel ! Ils s'attrapent tout seuls ! Ils tournent en rond dans des cercles encore plus étroits que les autres, sans pouvoir en sortir jamais. A ce soir, Ti !

Et il s'éloigna, accompagné du bruit mat de ses sandales sur les pavés de la cour.

Après l'avoir suivi un instant des yeux, le juge rentra précipitamment chez lui, irrité de s'être ainsi laissé mettre mal à l'aise.

Les domestiques avaient tiré les rideaux du lit à baldaquin, au fond de la chambre. Il avisa avec satisfaction la grande théière posée sur la table, bien au chaud dans son panier ouatiné, à côté de l'imposant chandelier en étain. Debout devant la coiffeuse, il se frictionna le visage et le cou avec la serviette parfumée que les domestiques avaient préparée dans la bassine en cuivre. Il se sentit tout de suite mieux. Frère Lou n'était qu'un original, et de tels personnages adoraient proférer des extravagances. Il approcha la table des portes coulissantes, s'assit face au jardin de rocaille, puis ouvrit le dossier.

Il y trouva tout d'abord la notice biographique de Lo sur la poétesse, une vingtaine de feuillets environ. C'était un résumé rédigé avec talent, si bien écrit que le juge en déduisit que Lo songeait à le faire figurer en appendice à son édition des œuvres poétiques de Yo-lan. Il contenait tous les faits concernant l'affaire, dont le contexte était décrit en termes voilés, dépourvus de tout caractère offensant, mais néanmoins très clairs. Après avoir soigneusement lu cette notice, le juge se carra dans son fauteuil puis, croisant les bras, songea à la vie mouvementée qu'avait connue Yo-lan.

La poétesse était la fille unique d'un petit aide-pharmacien de la capitale, amateur de littérature autodidacte qui lui avait appris à lire et à écrire alors qu'elle n'avait que cinq ans. Mais il gérait mal ses affaires et, quand sa fille eut seize ans, il était si endetté qu'il fut contraint de la vendre à un célèbre bordel. Au cours des quatre années qu'elle y passa, elle fréquenta assidûment des hommes de lettres, jeunes et vieux et, grâce à ces relations, fit de rapides progrès dans tous les arts d'agrément, révélant un talent prononcé pour la poésie. A dix-neuf ans, alors qu'elle était en passe de devenir une courtisane fameuse, elle disparut du jour au lendemain. La Guilde des tenanciers de maisons closes lança à sa recherche ses plus fins limiers, car elle représentait un investissement considérable, mais personne ne retrouva sa trace. Deux ans plus tard, elle fut découverte par hasard dans un hôtel borgne, dans le nord du pays, sans ressource et malade. C'est le jeune poète Wen Tung-yang qui l'y découvrit. Ce jeune homme était célèbre pour son esprit acéré, sa belle mine et la considérable fortune dont il avait hérité. L'ayant connue à la capitale, il était resté amoureux d'elle. Il régla toutes ses dettes et en fit sa compagne inséparable. Ils furent de toutes les fêtes et de toutes les soirées données dans la capitale. Wen publia un recueil de poèmes qu'ils s'étaient écrits l'un à l'autre et qui furent bientôt connus de tous les lettrés du pays. Le couple voyagea beaucoup, visita tous les hauts lieux de l'Empire, accueilli par les hommes de lettres les plus célèbres. Ils s'arrêtaient parfois plusieurs mois dans un endroit qui leur plaisait. Leur association dura quatre ans, au bout desquels Wen quitta soudain Yo-lan, étant tombé amoureux d'une acrobate itinérante.

Yo-lan quitta alors la capitale pour le Séchouan où elle utilisa un somptueux cadeau d'adieu que lui avait fait Wen pour s'acheter une magnifique propriété. Elle s'y installa avec une petite compagnie de servantes et de chanteuses, et sa villa devint le centre de la vie intellectuelle et artistique de cette province reculée. Elle réservait ses faveurs à un cercle choisi d'admirateurs, tous hommes de lettres et hauts fonctionnaires qui la couvraient de coûteux présents. Le magistrat Lo n'avait pu résister à la tentation d'employer à ce sujet la formule éculée : « Chacun de ses poèmes était estimé à mille onces d'or. » Lo indiquait également que Yo-lan était particulièrement liée à certaines amies, auxquelles elle avait dédié des poèmes. Etant donné que l'on apprenait ensuite que deux ans plus tard elle avait dû quitter précipitamment le Séchouan à cause d'une de ses élèves, la fille d'un Préfet des environs, la conclusion s'imposait.

Après avoir quitté le Séchouan, la poétesse changea complètement de mode de vie. Elle acquit le Monastère du Héron blanc, petit sanctuaire taoïste situé dans la splendide région des lacs, et se déclara convertie au taoïsme. Elle ne garda auprès d'elle qu'une servante, n'admit la présence d'aucun homme et se consacra exclusivement à la poésie religieuse. Elle avait toujours dépensé son argent aussi facilement qu'elle le gagnait, et avait en outre largement dédommagé les membres de sa nombreuse suite en quittant le Séchouan. L'achat du Monastère du Héron blanc avait englouti le reste de sa fortune, mais elle n'était cependant pas dans le besoin car les notables de la région la rétribuaient grassement pour enseigner à leurs filles l'art poétique. Le texte de Lo s'arrêtait là. « Prière de se reporter aux documents judiciaires ci-joints », avait-il noté au bas de la dernière page.

Le juge Ti se redressa et feuilleta la liasse de documents officiels. Son regard exercé lui permit de distinguer promptement les faits essentiels. Deux mois auparavant, à la fin du printemps, les sbires du tribunal local avaient un beau jour fait irruption au Monastère du Héron blanc, et entrepris de creuser au pied d'un cerisier, dans le jardin de derrière. Ils y découvrirent le corps nu de la servante de Yo-lan, une jeune fille de dix-sept ans.

L'autopsie révéla qu'elle était morte trois jours auparavant, le corps lacéré de coups de fouet. Yo-lan fut arrêtée et accusée d'homicide volontaire. Elle nia obstinément. Trois jours plus tôt, expliqua-t-elle, la servante lui avait demandé l'autorisation de s'absenter une semaine pour aller voir ses vieux parents, et elle était partie après lui avoir préparé son riz du soir. Elle ne l'avait pas revue depuis. Après dîner, elle était allée faire une longue promenade solitaire au bord du lac. En rentrant, une heure avant minuit, elle s'était aperçue que la petite porte du jardin avait été forcée et avait découvert, en inspectant les lieux, que les deux candélabres en argent du Monastère avaient disparu. Elle rappela au magistrat qu'elle avait signalé le vol dès le lendemain matin. Elle avança l'hypothèse que la servante, ayant oublié quelque chose, était revenue au Monastère et avait surpris des voleurs. Ceux-ci avaient essayé de lui faire avouer où sa maîtresse cachait son argent, et elle avait succombé sous leurs tortures.

Puis le magistrat entendit divers témoins qui affirmèrent qu'il arrivait souvent à la poétesse de se disputer violemment avec sa servante, et qu'ils l'avaient même entendue plusieurs fois crier en pleine nuit. Le monastère était assez isolé, mais quelques personnes y étaient passées lors de cette nuit funeste et n'avaient pas vu dans les parages l'ombre d'un voleur ni d'un vagabond. Le magistrat déclara que la déposition de Yo-lan n'était qu'un tissu de mensonges, et l'accusa d'avoir elle-même forcé la porte du jardin et jeté les candélabres dans un puits. Se référant également à son passé agité, il était sur le point de la condamner à la peine capitale, quand une ferme des environs fut attaquée par des voleurs qui taillèrent en pièces le fermier et son épouse. Le magistrat différa donc son jugement et envoya ses hommes à la poursuite des voleurs, susceptibles de corroborer la version de Yo-lan. La nouvelle de l'arrestation de la célèbre poétesse s'était alors répandue dans tout le pays, et le Préfet ordonna le transfert de l'affaire dans sa propre juridiction.

La minutieuse enquête du Préfet — grand admirateur de la poétesse — fit apparaître deux points en sa faveur. Tout d'abord, il apparut que le magistrat avait essayé un an plus tôt d'obtenir les faveurs de Yo-lan et qu'elle s'était refusée à lui. Cela, le magistrat le reconnut mais nia en avoir été influencé. Il avait reçu une lettre anonyme lui apprenant qu'un cadavre était enterré au pied du cerisier, et il se devait de vérifier cette allégation. Le Préfet estima que le magistrat avait préjugé de la culpabilité de Yo-lan et le démit temporairement de ses fonctions. Par ailleurs, la police militaire arrêta un voleur qui avait fait partie de la bande responsable de l'attaque de la ferme, quelques semaines auparavant. Il affirma avoir entendu son chef parler d'un butin possible au Monastère du Héron blanc, et dire qu'il vaudrait peut-être la peine d'aller y jeter un coup d'œil à l'occasion. Cela semblait confirmer la théorie de Yo-lan sur le meurtre. Sur la base de ces nouvelles données, le Préfet transmit l'affaire au tribunal de la province, en recommandant l'acquittement de l'accusée.

Submergé de lettres de personnalités haut placées en faveur de la poétesse, le Gouverneur allait prononcer son acquittement quand un jeune porteur d'eau de la région des lacs se présenta. Il s'était absenté plusieurs semaines, devant accompagner son oncle auprès des divers tombeaux de la famille. Il avait été le petit ami de la servante et il affirma que cette dernière lui avait maintes fois dit que sa maîtresse l'importunait et, se voyant repoussée, la battait. Les doutes du Gouverneur furent renforcés par le fait que la jeune fille était vierge. Si elle avait été assassinée par des voleurs, ils auraient certainement commencé par la violer. Il donna donc l'ordre à ses hommes de passer la province au peigne fin pour découvrir les voleurs qui avaient attaqué la ferme, leur témoignage étant de la plus haute importance. Mais les recherches furent vaines. On ne découvrit pas non plus la moindre trace de l'auteur de la lettre anonyme. Le Gouverneur préféra donc se débarrasser de cette affaire épineuse en la confiant à la Cour Métropolitaine de Justice.

Le juge Ti referma le dossier, se leva et se rendit sur la galerie. Une douce brise automnale, annonciatrice d'une belle soirée, agitait les bambous de la rocaille.

Effectivement, son collègue n'avait pas menti. C'était une affaire intéressante, troublante, pour mieux dire. Il se tirailla pensivement les moustaches. Le magistrat Lo lui avait dit qu'il s'agissait d'un casse-tête purement théorique, mais il savait très bien que cette affaire représenterait pour lui une sorte de défi personnel ; sans parler de sa rencontre avec la poétesse, qui l'impliquait plus directement, le confrontant pratiquement au problème de savoir si elle était coupable ou non.

Le juge arpenta la galerie, les mains derrière le dos. Il ne possédait que des informations de deuxième main sur cette affaire déconcertante. C'est alors que l'horrible face de crapaud du moine lui revint à l'esprit. Cet étrange personnage lui avait rappelé qu'il s'agissait pour la poétesse d'une question de vie ou de mort. Il se sentit soudain envahi par une sensation de malaise, comme un vague pressentiment. Peut-être parviendrait-il à s'en débarrasser en se replongeant dans le dossier et en analysant scrupuleusement tous les témoignages. Il n'était que cinq heures, il lui restait donc encore deux heures environ avant le repas. Cependant, il n'avait pas véritablement envie de se repencher sur ces textes officiels, préférant remettre cette tâche à plus tard, lorsqu'il aurait plus amplement discuté avec la poétesse, au cours du dîner. Il écouterait alors ce que l'Académicien et le poète de cour diraient à Yo-lan, et tenterait de savoir ce qu'ils pensaient de sa culpabilité. Le joyeux dîner que lui promettait son collègue prit soudain à ses yeux d'horribles allures de Cour de tribunal, délibérant sur une condamnation à mort. Il avait à présent le pressentiment d'un malheur imminent.

Tout en s'efforçant de chasser ses sombres pensées, il réfléchit au meurtre du candidat Song. C'était une autre affaire irritante. Bien qu'ayant assisté sur place aux recherches, il ne pouvait cependant rien tenter et devait s'en remettre entièrement aux éléments qu'apporteraient les hommes de Lo. Cette fois encore, il était obligé de travailler avec des informations de seconde main.

Soudain, le juge s'arrêta de marcher, les sourcils froncés ; il réfléchit un instant puis entra dans la pièce et prit sur la table le recueil de musique de Song. A part les notes historiques du candidat, c'était le seul lien direct avec le mort. Il en feuilleta de nouveau les pages à l'écriture serrée, et sourit tout à coup. C'était hasardeux, mais cela valait la peine d'être tenté ! En tout cas, c'était toujours mieux que de rester assis à broyer du noir dans sa chambre, à ressasser tout ce qu'avaient déclaré des gens qu'il n'avait jamais vus de sa vie.

Le juge se changea et revêtit une simple robe bleue. Après avoir mis une petite coiffe noire, il sortit, le recueil sous le bras.

VIII

Le juge Ti s'intéresse à la musique ;
il boit en compagnie
d'un flûtiste alcoolique.

La nuit tombait. Dans l'avant-cour de la résidence, deux servantes allumaient les lampions suspendus aux poutres des bâtiments.

Une fois parvenu au milieu de la foule qui grouillait dans la grand-rue, devant l'entrée principale du tribunal, le juge Ti poussa un soupir de contentement. Son sentiment de frustration avait été essentiellement provoqué par l'impression d'être cloîtré dans le palais résidentiel de son collègue, coupé de la vie de cette cité qu'il ne connaissait pratiquement pas. A présent qu'il s'agitait, il se sentit tout de suite mieux. Il se laissa porter par la foule, examinant en chemin les devantures joyeusement décorées des boutiques. Quand il aperçut l'enseigne d'un marchand d'instruments de musique, il se fraya un passage jusqu'à sa porte.

Il fut accueilli par un vacarme assourdissant : une demi-douzaine de clients essayaient tous en même temps des tambours, des flûtes et des violons à deux cordes. A la veille de la Fête de la Mi-automne, tous les musiciens amateurs se préparaient pour les festivités du lendemain. Le juge se dirigea vers le bureau, dans l'arrière-boutique, où le patron était occupé à avaler gloutonnement un bol de nouilles, tout en surveillant ses employés aux prises avec les clients. Visiblement impressionné par l'air digne du juge Ti, l'homme se leva précipitamment et lui demanda ce qu'il désirait.

Le juge lui tendit la partition.

— Ce sont des morceaux pour la flûte droite, dit-il. Pourriez-vous par hasard me les identifier ?

Après avoir jeté un rapide coup d'œil au recueil, le marchand de musique le rendit au juge avec un sourire désolé.

— Nous ne connaissons pas ce système de transcription, monsieur. Ce doit être un ancien mode de notation. Vous devriez consulter un spécialiste. Lao-liu est votre homme, monsieur, c'est le meilleur flûtiste de la ville, il déchiffre absolument tout, les anciens comme les modernes, quel que soit le système de notation. Il habite tout près d'ici. Le seul ennui, ajouta-t-il en frottant son menton graisseux, c'est que Lao-liu boit, monsieur. Il commence vers midi, après ses cours de musique et, en général, il est ivre à l'heure qu'il est. Il dessoûle un peu plus tard dans l'après-midi, lorsqu'il doit aller jouer dans des réceptions. Il se fait pas mal d'argent, mais il dépense tout en vin et en femmes.

Le juge Ti posa une poignée de sapèques sur la table.

— Demandez à un de vos employés de m'y conduire tout de même.

— Mais naturellement, monsieur. Merci, monsieur ! Hé, toi, Wang ! Emmène ce monsieur chez Lao-liu.. Et reviens tout de suite, hein !

Alors que le jeune commis descendait la rue avec le juge Ti, il le tira tout à coup par la manche. Indiquant la boutique d'un marchand de vin, il remarqua en souriant d'un air narquois :

— Si vous voulez vraiment vous entendre avec Lao-liu, monsieur, vous auriez intérêt à lui apporter un petit cadeau. Quel que soit son état d'ébriété, il se réveillera si vous lui passez un pichet d'alcool sous le nez !

Le juge acheta un pichet d'alcool blanc, fort, destiné à être bu glacé, puis le jeune garçon lui fit emprunter un étroit passage qui débouchait sur une ruelle sombre et nauséabonde, bordée de masures en bois délabrées et éclairée par les rares lumières qui filtraient çà et là à travers le papier sale des fenêtres.

— C'est la quatrième maison à votre gauche, monsieur !

Le juge Ti donna un pourboire au garçon qui repartit en courant.

La porte de la maison du flûtiste branlait dans ses gonds. De gros jurons retentirent à l'intérieur, suivis d'un strident rire de femme. Le juge n'eut qu'à appuyer la main sur le panneau pour que la porte s'ouvrît toute grande.

Dans la petite pièce nue, éclairée par une lampe à huile qui fumait, planait une puissante odeur d'alcool bon marché. Un gros homme, à la large face rougeaude, était assis au fond sur un banc de bambou. Il portait un pantalon flottant et une veste courte ouverte sur le devant, laissant apparaître son ventre nu et luisant. Une femme était assise sur ses genoux : c'était Petit Phénix. Lao-liu leva vers le juge des yeux vitreux. Quant à la danseuse, elle s'empressa de rabaisser sa robe sur ses cuisses, musclées et étonnamment blanches, et se réfugia dans le coin le plus reculé de la pièce, le visage rouge de honte mais toujours aussi impassible et lisse comme un masque.

— Ça alors ! Qui êtes-vous ? demanda le flûtiste d'une voix pâteuse.

Ignorant la jeune fille, le juge Ti s'assit près de la table basse en bambou et y déposa le pichet.

Lao-liu écarquilla ses yeux injectés de sang.

— Un pichet de vraie Rosée de Rose, grands dieux ! s'exclama-t-il en se levant avec difficulté. Vous êtes le bienvenu, même si vous ressemblez au Roi de l'Enfer en personne, avec cette grande barbe ! Débouchez-le, mon ami !

Le juge posa la main sur le goulot du pichet.

— Vous allez devoir mériter ce breuvage, Lao-liu, déclara-t-il en posant le recueil musical sur la table. Je voudrais savoir de quels airs il s'agit là.

Debout devant la table, le gros bonhomme ouvrit la brochure de ses doigts boudinés mais étrangement agiles.

— Facile ! grommela-t-il. Je vais quand même me rafraîchir un petit peu.

Il tituba jusqu'à la table de toilette et entreprit de se frictionner le visage et le torse avec une serviette sale.

Le juge le regarda faire en silence, ignorant toujours la danseuse. Ce qu'elle faisait ici ne regardait qu'elle. Petit Phénix hésita, puis s'approcha de la table et balbutia timidement :

— Je... j'essayais de le convaincre de venir jouer au dîner de ce soir, monsieur. C'est une brute, mais un musicien extraordinaire. Comme il refusait, je me suis laissé un peu caresser...

— Je ne jouerai pas ce damné « Lai du Renard Noir », même si tu restais avec moi jusqu'au matin ! grogna le gros homme.

Il fouilla parmi la douzaine de flûtes suspendues à des clous au mur délabré.

— Je pensais que vous alliez danser sur « Un Phénix parmi les Nuages pourpres », fit négligemment remarquer le juge.

Un flûtiste se dispute avec une danseuse

La danseuse lui faisait plutôt pitié, avec son visage impassible et ses épaules étroites et voûtées.

— Oui, effectivement, monsieur. Mais après avoir vu la belle salle du magistrat... et avoir été présentée à ces deux grands dignitaires de la capitale, et au célèbre Frère Lou, je me suis dit que cette occasion ne se représenterait jamais plus. Alors j'ai pensé que je pourrais essayer de danser sur l'autre morceau. Il permet des mouvements rapides et tournants...

— Tortille donc ton petit derrière sur une bonne musique, railla Lao-liu. Le « Lai du Renard Noir » n'est pas bon.

Le flûtiste s'assit sur un tabouret bas et ouvrit le recueil de musique sur son gros genou.

— Humm... Vous ne désirez pas entendre le premier, je suppose : « Les Nuages blancs me rappellent sa robe, les fleurs son visage. » Tout le monde connaît cette romance. Quant au second, on dirait...

Il porta la flûte à ses lèvres et joua les premières mesures, très rythmées.

— Ah oui, c'est « Ode à la Lune d'Automne », très en vogue à la capitale l'an dernier.

Le gros homme parcourut ainsi tout le recueil, jouant de temps à autre quelques mesures pour identifier le morceau. Le juge ne prêtait guère attention à ses explications ; il était déçu de voir son hypothèse réduite à néant, mais il dut admettre que c'était une idée un peu tirée par les cheveux. Le fait que les morceaux n'aient ni titre ni paroles et aient été écrits selon un système de transcription complexe, qu'il ne connaissait absolument pas, lui avait laissé penser qu'il ne s'agissait aucunement d'une partition musicale, mais de notes secrètes que le candidat Song avait rédigées en utilisant une sorte de code musical. Un juron obscène le tira de ses réflexions.

— Que je sois damné ! s'écria le flûtiste, les yeux rivés sur le dernier morceau du recueil. Pourtant, les premières mesures ont l'air différentes, grommela-t-il avant de porter la flûte à ses lèvres.

Des sons graves s'élevèrent, selon un rythme lent et pathétique. La danseuse se leva, l'air stupéfaite. Le rythme s'accéléra ; des notes aiguës et stridentes composèrent une inquiétante mélodie. Le gros homme abaissa sa flûte.

— C'est ce damné « Lai du Renard Noir » ! déclara-t-il d'un ton dégoûté.

La danseuse se pencha sur la table.

— Donnez-moi cette partition, monsieur, je vous en prie.

Ses grands yeux fendus en amande brillaient à présent d'un éclat fébrile.

— Avec cette partition, n'importe quel bon flûtiste peut m'accompagner !

— Tant que ce n'est pas moi ! maugréa le gros musicien en jetant le recueil sur la table. Je préfère rester en bonne santé !

— Je vous prêterai volontiers ce livre, répondit le juge à la danseuse. Mais vous allez me dire d'abord ce que vous savez sur ce « Lai du Renard Noir ». Je m'intéresse à la musique, figurez-vous.

— C'est un vieux morceau d'ici, monsieur, très peu connu et qui ne figure dans aucun manuel pour la flûte. Safran, la gardienne du Sanctuaire du Renard Noir, le chante tout le temps. J'ai essayé de le lui faire écrire, mais elle n'a plus toute sa tête, la pauvre ; elle ne sait ni lire ni écrire, alors vous pensez ! Une partition difficile ! Mais c'est la plus extraordinaire musique pour danser au...

— Vous me le rendrez ce soir, au dîner, dit le juge Ti en lui tendant le petit livre.

— Oh, merci mille fois, monsieur ! Il faut que je me dépêche maintenant, parce que le musicien voudra s'entraîner un peu. S'il vous plaît, monsieur, ne dites à personne que je vais danser là-dessus, je veux que ce soit une surprise ! ajouta-t-elle à la porte.

Le juge acquiesça d'un signe de tête.

— Sortez deux grandes tasses, dit-il au gros flûtiste.

Le musicien prit deux tasses en terre sur l'étagère pendant que le juge débouchait le pichet. Il remplit à ras bords la tasse de Lao-liu.

— C'est de la bonne marchandise ! s'exclama le musicien en humant son récipient, avant de le vider d'un trait.

Le juge ne but qu'une petite gorgée de sa tasse.

— Drôle de fille, cette danseuse, remarqua-t-il négligemment.

— Si c'est bien une fille ! Cela ne m'étonnerait pas qu'elle soit une femme-renarde, avec une queue en panache sous sa robe. C'est exactement ce que je cherchais à vérifier quand vous êtes arrivé !

Le flûtiste grimaça un sourire, remplit sa tasse et but une gorgée, puis il fit claquer ses lèvres et poursuivit :

— Renarde ou pas, elle s'y connaît pour faire sécher sur pied les clients, la sale petite putain ! Ça accepte les cadeaux, ça se laisse un peu tripoter et embrasser, mais pour le plat de résistance, plus personne, non merci, monsieur ! Non, jamais ! Et cela fait un an que je la connais. C'est une bonne danseuse, je dois l'admettre. (Il haussa les épaules.) Enfin, peut-être a-t-elle raison après tout. J'en viens à le croire, j'ai vu tellement de bonnes danseuses s'effondrer parce qu'elles avaient trop fait de galipettes !

— Comment avez-vous connu le « Lai du Renard Noir » ?

— Je l'ai entendu il y a des années, chanté par un couple de vieilles biques. Des accoucheuses qui arrondissaient leurs gages en chassant les mauvais esprits de la maison de la future mère. Je ne connais pas très bien l'air, pour tout vous dire. Mais la petite sorcière du sanctuaire, là-bas, elle le connaît bien.

— Qui est-ce ?

— Une satanée sorcière, voilà ce que c'est ! Un véritable esprit-renard, celle-là ! Une vieille chiffonnière l'a trouvée dans la rue, un adorable petit bout de chou. C'est du moins ce dont elle avait l'air ! Elle a grandi à demi folle, et n'a commencé à parler qu'à quinze ans. Elle avait tout le temps des crises, elle roulait des yeux et proférait des choses mystérieuses et horribles. La vieille a eu peur, alors elle l'a vendue à un bordel. Elle était mignonne, paraît-il. Enfin, la tenancière du bordel empocha une somme rondelette quand elle la donna à déflorer à un vieil amateur. Le vieux monsieur a dû regretter de lutiner une femme-renarde. Resservons-nous, monsieur, c'est la première fois de la journée que je bois vraiment.

Après avoir vidé sa tasse, le gros bonhomme hocha tristement la tête.

— La gamine lui a mordu le bout de la langue quand il a essayé de l'embrasser, puis elle a sauté par la fenêtre et s'est réfugiée dans le sanctuaire abandonné, près de la porte Sud. Elle y est toujours. Les plus gros bras de la Guilde des tenanciers de bordels n'ont jamais osé s'y aventurer ! Le lieu est hanté, voyez-vous. Des centaines d'individus y ont été assassinés, hommes, femmes et enfants. La nuit, leurs fantômes se promènent sur la friche où se trouve le sanctuaire. Les gens superstitieux déposent au bord des ruines de la nourriture que la gamine partage avec les renards sauvages. L'endroit en est infesté. La fille danse parmi eux au clair de lune, en chantant cette sat... satanée chanson. (Il se mit soudain à bredouiller.) Cette... cette... danseuse est une renarde, elle aussi. C'est la seule qui ose y aller. Une sat... satanée renarde, voilà ce qu'elle est...

— Si vous devez jouer ce soir, vous feriez aussi bien d'y aller doucement sur ce pichet, conseilla le juge en se levant. Au revoir!

Le juge Ti se dirigea vers la grand-rue et demanda à un passant comment se rendre à la Porte Sud.

— C'est assez loin, monsieur. Vous devez descendre cette rue, passer le grand marché et suivre la rue-du-Temple jusqu'au bout. Après, c'est tout droit, vous verrez la porte devant vous.

Le juge arrêta une petite litière et demanda aux deux porteurs de le conduire au sanctuaire de l'extrémité sud de la rue-du-Temple. Il ferait tout aussi bien de s'arrêter là, pensa-t-il, et de faire le reste du trajet à pied. Les porteurs sont bien connus pour leur indiscrétion.

— Vous voulez parler du Temple de la Subtile Clairvoyance, monsieur?

— Exactement. Vous avez un pourboire si vous faites vite.

Les hommes hissèrent les longs brancards sur leurs épaules caleuses et partirent au petit trop, en poussant de sonores hé ! ho ! pour faire s'écarter la foule devant eux.

IX

Le juge Ti visite un temple abandonné ;
il est accueilli par des renards.

Le juge serra sa robe contre lui ; dans la litière découverte, la fraîcheur du soir se faisait vivement sentir. Il avait repris courage car le « Lai du Renard » pouvait fort bien se révéler le premier indice important sur le meurtre du candidat Song. Le marché était bondé de monde, et les éventaires faisaient de bonnes affaires. Mais après un tournant, dans une large rue sombre, la foule se raréfia. De chaque côté s'élevaient de hautes portes en pierre qui alternaient avec de longs pans de murs de brique délabrés. Les inscriptions tracées sur les grandes lanternes suspendues au-dessus de chaque portail indiquèrent au juge que les principales sectes bouddhistes étaient représentées dans la rue-du-Temple. Les porteurs déposèrent la litière devant une loge à deux étages. On pouvait lire sur la lanterne éclairant la double-porte laquée de noir les trois grands caractères : « Temple de la Subtile Clairvoyance ».

Le juge Ti descendit tandis que les deux porteurs s'empressaient de sécher leurs torses trempés de sueur.

— Vous pouvez vous reposer ici, déclara-t-il au plus âgé. J'en ai pour une demi-heure environ, pas plus. Combien de temps faut-il pour se rendre d'ici à la Porte Est ? ajouta-t-il en lui donnant un pourboire.

— En litière, cela vous prendra une demiheure à peu près. Mais en passant par les raccourcis, vous y serez beaucoup plus vite à pied.

Le juge hocha la tête. Cela signifiait que le candidat Song avait facilement pu se rendre au sanctuaire du Renard. Pénétrant dans l'enceinte du temple par la petite porte qui s'ouvrait à côté du grand portail, il découvrit une cour déserte. Une lumière brillait derrière la fenêtre du bâtiment principal, dans le fond. Sur la droite de ce dernier, un corridor à claire-voie longeait le mur extérieur de l'enceinte. Le juge l'emprunta, pensant quitter le temple par la porte de derrière et, de là, rejoindre la porte Sud de la ville. Ainsi, les porteurs ignoreraient sa véritable destination.

Le corridor menait à un étroit passage ménagé derrière le bâtiment principal, entre deux bâtiments bas qui devaient abriter les appartements des moines. Ce passage était faiblement éclairé par quelques petites lanternes qui pendaient aux poutres. Le juge pressa le pas jusqu'à la porte de derrière qui s'ouvrait au bout. Au moment où il passait devant la dernière fenêtre avant le coin du bâtiment, sur sa droite, il jeta machinalement un coup d'œil à l'intérieur, et s'arrêta net : il crut avoir reconnu le frère fossoyeur, assis en tailleur sur le banc, au fond de la pièce vide, qui le fixait de ses yeux de crapaud.

Le juge posa les mains sur le rebord de la fenêtre et scruta la pièce. Il s'était trompé. Dans la lueur incertaine que projetait la lanterne accrochée sur le bâtiment opposé, il vit qu'il s'agissait seulement de robes de moine empilées sur le banc, surmontées d'un tambour de prieur en bois en forme de crâne. Il poursuivit son chemin, irrité par sa méprise : de toute évidence, il était obsédé par l'image troublante du mystérieux fossoyeur.

Il traversa la forêt de pins clairsemée, derrière le temple, et ne tarda pas à déboucher sur une large route bien pavée. Au loin, la silhouette élancée de la Porte Sud se découpait sur le ciel étoilé.

Heureux que sa ruse ait si bien réussi, il descendit vivement la route, éclairée çà et là par la lampe à huile tremblotante d'un étalage. Sur la gauche, se trouvaient quelques maisons abandonnées, obscures, et de l'autre côté, des arbres entourés d'épais taillis, ainsi qu'un portail de pierre en ruine. Au moment où il s'apprêtait à traverser, apparut un long cortège de gens courbés sous le poids de divers paquets et sacs, discutant joyeusement entre eux. Visiblement, ils quittaient la ville pour aller passer la Fête de la Mi-automne à la campagne, chez leurs parents. Tout en les laissant passer, le juge se demanda où se trouvait la Falaise d'Emeraude que le magistrat Lo avait choisie pour son banquet du lendemain soir. Probablement quelque part dans les montagnes, à l'ouest de la ville. Scrutant le ciel, il ne vit pas le moindre nuage dans le brillant halo de la lune d'automne. En revanche, le bois qui s'étendait de l'autre côté de la route était sombre et peu engageant. Le juge alla acheter une petite lampe-tempête à un marchand ambulant, après quoi il traversa la route.

Il ne restait que les deux piliers de l'antique portail. Approchant sa lanterne de celui de gauche, il découvrit un tas de fruits frais et un bol de riz en terre cuite, à demi recouvert de feuilles vertes. Ces offrandes étaient la preuve qu'il s'agissait bien du portail du Sanctuaire.

Le juge Ti se fraya rapidement un chemin à travers les buissons enchevêtrés qui obstruaient l'étroit sentier. Après le premier tournant, il glissa les pans de sa robe dans sa ceinture et remonta ses longues manches. Il découvrit dans les buissons un solide bâton pour dégager les branches épineuses, puis avança le long du sentier sinueux.

Tout était étrangement calme et sauvage ; on n'entendait même pas crier les oiseaux de nuit.

Seul le chant des cigales troublait le silence, ainsi qu'un léger bruissement de temps à autre dans les fourrés.

— Cette danseuse est une fille courageuse, maugréa-t-il. L'endroit est décidément lugubre !

Tout à coup, il s'arrêta et serra fortement son bâton. Il entendit un petit bruit dans les buissons, juste devant lui. Deux yeux verts le fixaient, à deux pieds environ du sol. Il ramassa aussitôt une pierre et la lança. Les yeux disparurent. Il se produisit une agitation intense dans le feuillage, puis tout rentra dans l'ordre. Il y avait donc bien des renards dans le secteur ; mais ils ne s'attaquaient jamais à l'homme. Un souvenir troubla cependant le juge : il avait entendu dire que les cas de rage n'étaient pas rares chez les renards et les chiens errants. Et un renard enragé pouvait s'en prendre à tout ce qu'il voyait. Relevant sa coiffe, le juge pensa avec amertume qu'il avait peut-être agi à la légère en entreprenant cette petite expédition sans arme. Une épée ou mieux une courte pique lui auraient été bien utiles. Mais le feutre épais de ses jambières le protégerait ; il décida donc de continuer tout de même.

Le sentier s'élargit bientôt. Il aperçut entre les arbres une vaste étendue en friche, sinistre à la lueur de la lune. Une pente douce, recouverte de hautes herbes et jonchée de gros cailloux moussus, conduisait aux ruines d'un temple, noir et massif. Le mur extérieur s'était effondré en maints endroits et le toit recourbé de l'unique bâtiment penchait dangereusement. A mi-pente, une silhouette sombre sauta prestement sur une pierre et s'assit sur son train arrière. Le juge distingua parfaitement ses oreilles pointues et sa longue queue en panache. L'animal était d'une taille étonnante.

Il observa un moment les ruines obscures sans voir aucun signe de vie et gravit en soupirant le sentier sinueux marqué par des pierres grossièrement taillées. En arrivant à la hauteur du renard, il brandit son bâton. L'animal se laissa tomber à terre d'un bond gracieux et disparut dans l'obscurité. Le mouvement des herbes indiquait la présence de nombreux autres renards aux alentours.

Parvenu à la hauteur du portail, le juge s'arrêta un instant pour observer la petite avant-cour, jonchée de détritus. Des poutres pourries étaient tombées au pied du mur, et une légère odeur de putréfaction flottait dans l'air. Dans le coin, s'élevait une statue de renard grandeur nature, assis sur un haut piédestal de granit. La guenille rouge enroulée autour de son cou était le seul indice d'une présence humaine. Le temple lui-même était un bâtiment carré à un étage, en briques, noirci par le temps et envahi par le lierre. L'angle droit s'était effondré et c'était là que le toit s'affaissait dangereusement. De nombreuses tuiles étaient tombées, laissant apparaître les grosses poutres noires de la charpente. Le juge gravit les trois marches de granit et frappa de son bâton à la porte en lattis. Un pan de bois pourri s'écroula avec un fracas qui résonna dans le silence du soir. Il attendit, mais aucun son ne lui parvint de l'intérieur.

Le juge poussa la porte et entra. Une faible lueur venait de la petite pièce à sa gauche. Il passa le coin et s'arrêta net : sous une bougie qui brûlait dans une niche du mur, une forme enroulée dans un tissu sale lui apparut. La tête était un crâne qui le fixait de ses orbites vides et béantes.

— Cessez ces enfantillages ! ordonna froidement le juge.

— Normalement vous auriez dû crier et vous enfuir, fit une petite voix juste derrière lui. Et vous vous seriez cassé une jambe.

Alors qu'il se retournait lentement, il se retrouva face à une mince jeune fille portant une veste flottante de tissu grossier, et un pantalon usé jusqu'à la corde. Elle avait un joli visage, mais sans expression, si ce n'était la peur qui se lisait dans ses grands yeux. Cependant la pointe d'un long couteau s'enfonçait dans le flanc du juge, et la main qui le tenait ne tremblait aucunement.

— Maintenant, je suis obligée de vous tuer, ajouta-t-elle de la même voix douce.

— Quel beau couteau vous avez là ! remarqua posément le juge. Regardez cet éclat bleuté !

Comme elle baissait les yeux, le juge laissa

tomber son bâton et lui saisit prestement le poignet.

— Ne faites pas de bêtises, Safran ! lança-t-il. C'est Petit Phénix qui m'envoie, et j'ai vu Monsieur Song.

Elle hocha la tête en se mordant la lèvre inférieure.

— En entendant mes renards s'agiter, j'ai cru que c'était Song, dit-elle en fixant le mannequin allongé. Dès que je vous ai vu monter le chemin, j'ai allumé la bougie au-dessus de mon amoureux.

Le juge lui relâcha le poignet.

— Ne peut-on pas s'asseoir quelque part, Safran ? Je voudrais vous parler.

— Rien que parler, pas jouer, répondit-elle avec sérieux. Mon amoureux est très jaloux.

La jeune fille glissa le couteau dans sa manche et se dirigea vers le mannequin couché.

— Je ne le laisserai pas jouer avec moi, mon chéri ! Je te le promets ! murmura-t-elle en arrangeant le linceul rapiécé.

Après lui avoir fait une petite caresse sur le crâne, elle prit la bougie dans la niche et franchit une porte voûtée qui s'ouvrait dans le mur d'en face.

Le juge la suivit dans la petite pièce à l'odeur de moisi. Elle posa la bougie sur une table, formée par quelques planches de bois brut, et s'assit sur un siège bas de bambou. A part un tabouret en rotin, il n'y avait pas le moindre

Le juge Ti au sanctuaire du Renard Noir

meuble, mais dans un coin, un amoncellement de chiffons lui servait apparemment de couche. Le haut du mur du fond s'était effondré, de même qu'une partie du toit, de sorte que l'on voyait le ciel par endroits. Le lierre avait envahi la brèche et pendait en un épais rideau contre les briques nues. Des feuilles mortes tombèrent en bruissant sur le sol couvert de poussière.

— Il fait très chaud ici, se plaignit-elle en enlevant sa veste.

Elle la jeta sur la pile de guenilles, dans le coin de la pièce. Ses épaules rondes et sa jolie poitrine étaient maculées de poussière. Le juge essaya le tabouret branlant avant de s'asseoir. La jeune fille regardait fixement devant elle tout en se frottant la poitrine. Il faisait plutôt frais dans la pièce, mais de petits filets de sueur lui coulaient entre les deux seins, traçant des traînées noirâtres sur son ventre plat. Ses cheveux sales et emmêlés étaient retenus par un chiffon rouge.

— Mon amoureux a l'air très impressionnant, n'est-ce pas ? remarqua-t-elle tout à coup. Mais il est très gentil, il ne me quitte jamais et m'écoute toujours patiemment. Il n'avait pas de tête, le pauvre, alors je lui ai mis le plus gros crâne que j'ai pu trouver. Et chaque semaine, je lui mets une robe neuve. Je les déterre dans l'arrière-cour, là-bas. Il y a beaucoup de crânes et d'ossements... et de beaux morceaux de tissu aussi. Pourquoi Song n'est-il pas venu ce soir ?

— Il est très occupé ; il m'a chargé de vous le dire...

Elle hocha lentement la tête.

— Je sais. Il a beaucoup à faire avec tout ce qu'il doit trier. C'est arrivé il y a si longtemps, il y a dix-huit ans, m'a-t-il dit. Mais celui qui a tué son père est encore ici. Quand il l'aura retrouvé, il lui fera trancher la tête. Sur l'échafaud.

— J'essaye moi aussi de le retrouver, Safran. Rappelle-moi son nom, déjà ?

— Son nom ? Song n'en sait rien. Mais il le retrouvera. Si quelqu'un avait tué mon père, moi aussi je...

— Je te croyais orpheline ?

— Pas du tout ! Mon père vient me voir, parfois. Il est très gentil. Mais alors... pourquoi m'a-t-il menti ? s'étonna-t-elle d'un ton plaintif.

Voyant ses yeux briller soudain d'un éclat fiévreux, le juge lui dit d'une voix douce :

— Tu dois te tromper. Je suis sûr que ton père n'a pu te mentir.

— Mais si ! Il prétend qu'il garde toujours son écharpe autour de la tête parce qu'il est très laid. Mais Petit Phénix l'a vu quand il est parti d'ici, l'autre soir, et elle m'a dit qu'il n'était pas laid du tout. Pourquoi ne veut-il pas que je voie son visage ?

— Où est ta mère, Safran ?

— Elle est morte.

— Ah oui... Alors, qui t'a élevée, ton père ?

— Non, ma vieille tante. Elle n'a pas été

gentille avec moi ; elle m'a donnée à des gens méchants. Je me suis enfuie, mais ils sont venus me chercher ici. Il y en a eu d'abord deux, en plein jour. Je suis montée sur le toit, avec une provision de crânes et d'os. Ils se sont enfuis dès que j'ai commencé à les leur lancer dessus. Ils sont revenus à trois, la nuit. Mais mon amoureux était là et ils sont partis en hurlant. Il y en a un qui a buté dans une pierre et qui s'est cassé la jambe ! Il fallait voir comment les autres l'ont emmené !

La jeune fille éclata d'un rire strident qui résonna dans la pièce vide. Quelque chose bougea dans le lierre. Le juge Ti se retourna : quatre ou cinq renards, juchés en haut du mur en ruine, fixaient sur lui leurs étranges yeux verts.

Puis il reporta son regard sur la jeune fille : elle s'était plongé le visage dans les mains. Un long frisson lui parcourut le corps, mais ses épaules étaient couvertes de sueur.

— Song m'a dit qu'il venait souvent ici avec Monsieur Meng, le marchand de thé, s'empressa de dire le juge Ti.

Safran laissa retomber ses mains.

— Un marchand de thé ? répéta-t-elle. Je ne bois jamais de thé ; rien que l'eau du puits. Et je n'aime même plus ça maintenant... Ah oui ! Song m'a dit qu'il habitait chez un marchand de thé. (Elle resta pensive un instant, puis reprit avec un lent sourire :) Song est venu tous les autres soirs avec sa flûte. Mes renards aimaient bien sa musique, et lui m'aimait beaucoup ; il a dit qu'il m'emmènerait dans un bel endroit, où je pourrai entendre de la musique tous les jours. Mais je ne dois en parler à personne, parce qu'il ne pourra jamais m'épouser. Je lui ai répondu que je ne pourrais jamais partir d'ici ni épouser qui que ce soit. Car j'ai mon amoureux et je ne le quitterai jamais. Jamais !

— Song ne m'a pas parlé de ton père.

— Bien sûr que non ! Père m'a dit de ne jamais parler de lui à personne. Et voilà que je vous en ai parlé !

Elle lui jeta un regard affolé puis porta ses mains à sa gorge.

— J'ai du mal à avaler... et j'ai tellement mal à la tête et à la gorge. C'est de pire en pire... ajouta-t-elle en se mettant à claquer des dents.

Le juge Ti se leva. Il fallait la transporter ailleurs au plus vite : elle était gravement malade.

— Je vais prévenir Petit Phénix que tu ne te sens pas bien, et nous reviendrons te voir tous les deux demain. Ton père ne t'a jamais proposé d'aller vivre avec lui ?

— Non, pourquoi ? Il a dit que je ne pourrais être mieux ailleurs pour m'occuper de mon amoureux et de mes renards.

— Fais quand même attention à eux, s'ils te mordaient...

— Comment osez-vous dire une chose

pareille ! coupa-t-elle d'un air furieux. Mes renards ne me mordent jamais ! Certains dorment même avec moi, là-bas, dans le coin, et me lèchent le visage. Allez-vous-en, je ne vous aime plus !

— J'adore les animaux, Safran. Mais il leur arrive de tomber malades, comme nous. Et s'ils te mordaient, tu serais malade toi aussi. Je reviendrai demain. Au revoir !

Elle le suivit jusqu'à l'avant-cour où, montrant la statue du renard, elle demanda timidement :

— J'avais envie d'offrir cette belle écharpe rouge à mon amoureux. Vous croyez que le renard de pierre en serait fâché ?

Le juge réfléchit à la question. Décidant qu'il valait mieux pour la sécurité de la jeune fille que le mannequin restât aussi impressionnant, il répondit :

— Je pense que le renard de pierre en serait fou de rage. Mieux vaut lui laisser son écharpe.

— Merci. Je ferai une agrafe au manteau de mon amoureux avec les épingles à cheveux d'argent que Song m'a promises. Dites-lui de me les apporter demain, voulez-vous ?

Le juge Ti acquiesça et franchit le vétuste portail. Il n'y avait plus un renard en vue dans la friche que baignait le clair de lune.

X

De hauts dignitaires philosophent;
un crime vient troubler
une joyeuse réunion.

Avant de ressortir de la forêt de pins, derrière le Temple de la Subtile Clairvoyance, le juge abandonna sa lanterne au pied d'un arbre. S'étant épousseté tant bien que mal, il pénétra dans l'enceinte du Temple par la porte de derrière. La fenêtre de la pièce d'angle où il avait cru voir le frère fossoyeur était à présent fermée.

Deux moines discutaient sur les marches du bâtiment principal. Il s'avança vers eux.

— Je suis venu voir Frère Lou, mais apparemment il est sorti.

— Le Révérend Lou est arrivé avant-hier, Monsieur. Mais il est installé depuis ce matin à la résidence de Son Excellence le Magistrat Lo.

Le juge les remercia et se dirigea vers l'entrée principale. Ses deux porteurs, accroupis sur la route, jouaient quelque argent avec des cailloux noirs et blancs. Ils s'empressèrent de se relever à l'arrivée du juge qui les pria de le ramener au tribunal.

Une fois parvenu à destination, le juge Ti gagna aussitôt la cour principale : il désirait s'entretenir avec Lo avant l'arrivée des autres invités ; ensuite seulement, il se dépêcherait de se changer pour revêtir une tenue plus adaptée aux circonstances.

Une demi-douzaine de servantes s'affairaient dans l'élégant jardin paysager, devant le bâtiment principal, occupées à suspendre des lampions multicolores aux buissons fleuris, tandis que deux domestiques masculins installaient au-delà de l'étang de lotus un échafaudage en bambous destiné aux feux d'artifice. Levant les yeux vers le balcon, le juge aperçut le magistrat Lo en grande discussion avec son conseiller. Le magistrat portait une élégante robe de brocart bleue et un haut bonnet de gaze noire à deux ailes. Heureux de constater que le dîner n'avait pas encore commencé, le juge Ti gravit prestement le large escalier de bois ciré.

En le voyant apparaître sur le balcon, le petit magistrat s'exclama d'un air stupéfait :

— Enfin, mon cher, vous ne vous êtes pas encore changé ! Les invités vont arriver d'un instant à l'autre !

— J'ai un message urgent pour vous, Lo ; c'est personnel.

— Kao, allez donc voir si l'intendant n'a pas besoin de vous dans la salle du banquet ! Eh bien, de quoi s'agit-il ? demanda-t-il d'un ton sec une fois son conseiller parti.

Appuyé à la balustrade, le juge Ti rapporta à son collègue la façon dont le « Lai du Renard Noir » l'avait conduit au Sanctuaire abandonné ainsi que l'essentiel de sa conversation avec Safran.

— Magnifique ! Frère-né-avant-moi, magnifique ! s'exclama Lo avec un grand sourire quand le juge eut terminé son récit. Autrement dit, nous avons élucidé la moitié de ce meurtre, puisque nous en connaissons à présent le mobile ! Song est venu débusquer l'assassin de son père ; ce dernier en a eu vent et a tué le pauvre bougre. Et ce sont les notes de Song concernant un meurtre vieux de dix-huit ans que ce gredin cherchait chez le candidat. Et qu'il a trouvées !

Devant le geste approbatif du juge, Lo poursuivit :

— Song a consulté nos archives pour découvrir des détails sur l'assassinat de son père. Nous devons dès à présent nous pencher sur tous les dossiers de l'Année du Chien pour y chercher un meurtre, une disparition, un enlèvement ou autre affaire non élucidée, concernant une famille du nom de Song.

— N'importe quelle affaire du genre, rectifia le juge. Dans la mesure où le candidat désirait garder ses recherches secrètes, Song peut fort bien être un nom d'emprunt. Il avait l'intention de révéler son identité et de porter une accusation officielle dès qu'il aurait découvert son homme et obtenu la preuve de sa culpabilité. Eh bien, l'homme a bien tué Song, mais maintenant nous sommes sur ses traces ! Il est un autre homme que j'aimerais bien rencontrer, c'est le père de Safran, poursuivit le juge en tiraillant sa moustache. Cet infâme vaurien accepte de voir son enfant illégitime vivre dans ces lieux immondes, c'est une honte ! Et elle est malade, qui plus est. Nous devons faire parler la danseuse, Lo. Peut-être a-t-elle reconnu le père de Safran. Sinon, elle peut au moins nous en fournir un signalement, car elle l'a vu alors qu'il quittait le sanctuaire, débarrassé de son écharpe, à visage découvert. Une fois l'individu repéré, nous lui ferons dire quelle femme il a séduite et envisagerons ce que nous pouvons faire pour cette malheureuse enfant. Petit Phénix est-elle déjà arrivée ?

— Oh oui, elle est au foyer que nous avons aménagé pour les danseuses, derrière la salle du banquet. Yo-lan l'aide à se maquiller et à se préparer. Allons la chercher. Les deux autres danseuses y sont également, et il serait préférable de lui parler en particulier. Grands dieux ! s'exclama-t-il en se penchant au balcon. Voilà Chang et l'Académicien ! Il faut que je descende vite les accueillir. Passez donc par cet escalier, là au fond, et dépêchez-vous de vous changer, Ti !

Le juge Ti emprunta l'étroit escalier, au bout

du balcon, et s'empressa de rejoindre ses appartements.

Tout en enfilant une robe bleu foncé aux discrètes impressions florales, il pensa qu'il était vraiment dommage d'être obligé de partir si vite et de ne pouvoir assister au déroulement de cette étrange affaire de meurtre. Une fois connue l'identité du père de Song, assassiné dix-huit ans plus tôt, Lo devrait se pencher sur les circonstances de sa mort en interrogeant toutes les personnes l'ayant connu habitant encore à Chin-houa. Cela prendrait des jours, si ce n'était des semaines. Quant à lui, il veillerait personnellement à ce que Safran soit conduite dans un endroit convenable. Une fois soignée, Lo pourrait la faire parler de ses conversations avec le candidat assassiné.

Mais pourquoi Song allait-il donc voir Safran ? se demanda le juge. Etait-ce uniquement à cause de son intérêt pour cette étrange musique ? Cela semblait peu probable. Song avait dû tomber amoureux d'elle. La servante de Meng avait fait allusion à la préférence de Song pour les chansons d'amour. Les épingles à cheveux d'argent, au sujet desquelles il l'avait consultée, étaient apparemment destinées à Safran. Le juge Ti voyait s'ouvrir toutes sortes de perspectives intéressantes. Après avoir ajusté sa coiffe de velours aux grandes ailes devant le miroir de la coiffeuse, le juge gagna rapidement la cour principale.

Le chatoiement des robes de brocart sur le balcon brillamment éclairé lui apparut. Les invités étaient visiblement occupés à admirer les illuminations du jardin avant le dîner. Cela lui épargna la gêne d'avoir à faire son entrée dans la salle du banquet devant des hôtes de marque déjà installés à table.

Parvenu sur le balcon, le juge Ti salua tout d'abord l'Académicien, somptueusement vêtu d'une ample robe de brocart et portant le haut bonnet carré de l'Académie, pourvu de deux longs rubans noirs qui lui pendaient dans le dos. Frère Lou avait revêtu une robe lie-de-vin bordée de noir qui lui conférait un certain air de dignité. Le poète de cour avait choisi pour sa part une robe de soie brune rehaussée d'un motif floral broché et un haut bonnet bordé d'or. Chang, visiblement de meilleure humeur, était en grande conversation avec le magistrat Lo.

— Ne pensez-vous pas, Ti, demanda Lo d'un ton brusque, que la puissance expressive est une des caractéristiques de la poésie de notre honoré ami ?

Chang Lan-po secoua vivement la tête.

— Ne perdons pas notre temps précieux en vains compliments, Lo. Depuis que j'ai demandé à être relevé de mes fonctions à la Cour, j'ai consacré l'essentiel de mon temps à l'édition de mes poèmes de ces trente dernières années, et c'est précisément la force expressive qui leur fait défaut ! (Lo voulut protester, mais le poète leva la main.) Et je vais vous en dire la raison : j'ai toujours mené une vie calme et retirée. Mon épouse, comme vous le savez peut-être, écrit elle aussi des poèmes, et nous n'avons pas d'enfants. Nous habitons une charmante maison de campagne, tout près de la capitale où je m'occupe de mes poissons rouges et de mes paysages miniatures, tandis que mon épouse prend soin de notre jardin de fleurs. Des amis de la ville viennent dîner de temps en temps, et nous bavardons et écrivons des poèmes jusque tard dans la nuit. J'ai toujours cru que j'étais heureux, jusqu'à récemment, lorsque j'ai brusquement réalisé que ma poésie ne faisait que refléter un monde imaginaire que je m'étais construit. Dans la mesure où mes poèmes sont dépourvus de tout lien avec la vie réelle, ils ont toujours été insipides et morts. Et aujourd'hui, après avoir été me recueillir auprès de l'autel de mes ancêtres, je ne cesse de me demander si quelques volumes de poésies conventionnelles suffisent à justifier cinquante années d'existence.

— Ce que vous appelez votre monde imaginaire, rétorqua Lo, est en fait bien plus réel que la prétendue vie réelle. Notre univers quotidien, extérieur, est transitoire ; alors que vous avez saisi les qualités immuables de la vie intérieure.

— Je vous remercie de vos compliments, Lo. Je continue néanmoins à penser que si je pouvais vivre quelque moment d'émotion intense, une tragédie même, un événement qui bouleverserait entièrement ma paisible existence, je pourrais alors...

— Vous vous trompez du tout au tout, Chang ! intervint l'Académicien d'une grosse voix tonitruante. Approchez, frère fossoyeur, je désire connaître votre opinion à vous aussi ! Ecoutez-moi bien, Chang, je n'ai pas moins de soixante ans et suis de dix ans environ votre aîné. Pendant quarante années, j'ai occupé presque toutes les fonctions importantes au gouvernement ; je possède une grande famille et j'ai éprouvé toutes les émotions fortes qu'un individu peut ressentir dans sa vie publique et privée ! Et je peux vous dire que c'est seulement depuis ma retraite, l'année dernière, à présent que je peux visiter tout seul et à loisir les endroits que j'aime, que je commence à déchirer le voile des apparences et à réaliser que les valeurs éternelles résident en dehors de notre vie terrestre. Vous, Chang, en revanche, vous avez pu vous épargner cette étape préalable. Vous, mon ami, avez découvert le Chemin du Paradis, sans même mettre le nez à votre fenêtre !

— Alors comme ça, vous citez les textes taoïstes ! remarqua le frère fossoyeur. Le fondateur du taoïsme n'était qu'un vieux bavard. Après avoir prétendu que le silence valait mieux que tous les discours, il dicta un ouvrage de cinq mille mots!

— Je ne suis absolument pas d'accord! protesta le poète de cour. Bouddha...

— Bouddha était un misérable mendiant et Confucius un pédant intrigant, lança le fossoyeur.

Outré par cette dernière réflexion, le juge Ti regarda l'Académicien, attendant de sa part une vive protestation. Mais il se contenta de sourire.

— Puisque vous rejetez en bloc nos trois religions, remarqua Chao, à quelle confession appartenez-vous donc?

— A aucune, répliqua vivement le moine obèse.

— Oh! Je ne vous crois pas : vous appartenez à la calligraphie! s'exclama l'Académicien. Voici ce que nous allons faire, Lo! Après dîner, nous descendrons par terre le grand écran de soie qui se trouve dans votre salle de banquet et le vieux Lou nous y tracera une de ses sentences. Avec un balai, ou tout ce qu'il voudra!

— Excellente idée! repartit Lo. Et nous garderons précieusement l'écran pour les générations à venir!

Le juge se rappela alors avoir vu parfois sur des façades de temples ou d'autres bâtiments de superbes inscriptions de plus de six pieds de haut, signées « Le Vieux Lou ». Il regarda alors l'affreux moine avec un respect nouveau.

— Comment faites-vous pour tracer ces inscriptions gigantesques ? lui demanda-t-il.

— Je monte sur un échafaudage muni d'une brosse de cinq pieds de long et je trace mes inscriptions en me déplaçant le long d'une échelle disposée en travers. Demandez donc à vos domestiques de me préparer un plein baquet d'encre, Lo !

— Qui a besoin d'un baquet d'encre ?

La voix mélodieuse de la poétesse s'éleva soudain. Soigneusement maquillée, elle était d'une étonnante beauté, et la coupe de sa robe vert olive estompait habilement ses formes généreuses. Le juge admira l'aisance spontanée avec laquelle elle se mêla à la conversation générale, trouvant le ton juste avec l'Académicien et avec Chang : la familiarité d'un confrère en poésie, assortie d'une pointe de respect. Seule une longue carrière de courtisane pouvait conférer à une femme cette façon d'être directement de plain-pied avec des hommes n'appartenant pas au cercle de famille.

Le vieil intendant ouvrit les portes coulissantes et Lo invita ses hôtes à passer dans la salle de réception. Sur les quatre grosses colonnes laquées de rouge qui soutenaient les poutres aux couleurs gaies, s'étalaient, en signe d'heureux augures, des inscriptions en grands caractères dorés. On pouvait lire sur la première : « Tout le monde se réjouit des années de paix universelle », et sur la seconde, le pendant de cette sentence : « heureux de se trouver gouverné avec sagesse et piété ». Les montants des portes latérales étaient artistement ouvragés. Celle de gauche donnait sur une petite pièce où les domestiques réchauffaient le vin. Dans la pièce opposée, se tenaient les six musiciens de l'orchestre : deux flûtistes, deux violonistes, une joueuse d'harmonica et une autre jeune fille assise devant une grande cithare. Alors que l'orchestre attaquait le joyeux air de « Bienvenue aux Hôtes de marque », le petit magistrat conduisit cérémonieusement Chang et l'Académicien à leurs places d'honneur, à la table faisant face au gigantesque écran de soie blanche à trois panneaux tendu contre le mur du fond. Tous deux se récrièrent devant ces marques de respect, mais ils se laissèrent néanmoins faire. Lo invita le juge Ti à s'asseoir sur la gauche, de sorte qu'il se retrouva le voisin de Chang, puis plaça le fossoyeur en haut à droite. Après avoir prié la poétesse de prendre place à la droite du juge Ti, il s'assit quant à lui à gauche de Frère Lou. Chacune des trois tables était recouverte d'une riche nappe de brocart rouge, rehaussée d'or ; les plats et les bols étaient en fine porcelaine peinte, les coupes de vin en or pur et les baguettes en argent. Les plats étaient chargés de viande et de poisson épicés, de tranches de jambon salé, d'œufs de cane et autres appétissants mets froids. Et, outre les hautes lampes à pied qui éclairaient la salle, deux bougies brillaient sur chaque table, disposées dans des chandeliers en argent massif. Une fois que les servantes eurent servi le vin, le magistrat Lo leva sa coupe et but à la santé et au bonheur de ses hôtes ; puis chacun saisit ses baguettes.

L'Académicien se mit aussitôt à évoquer avec Chang leurs relations communes de la capitale. Le juge se trouva ainsi libre de s'adresser à la poétesse, à laquelle il demanda courtoisement depuis quand elle était arrivée à Chin-houa.

Elle y était depuis deux jours, escortée par un sergent et deux soldats, et avait pris une chambre dans une petite auberge, derrière le Boudoir de Saphir. Sans la moindre gêne, elle expliqua que la vieille gérante avait travaillé dans le même célèbre bordel qu'elle, à la capitale, et qu'elles avaient évoqué ensemble le bon vieux temps.

— J'ai rencontré Petit Phénix au Boudoir de Saphir, ajouta-t-elle. C'est une excellente danseuse et une fille très brillante.

— Elle a l'air un peu trop ambitieuse à mon goût, remarqua le juge.

— Vous, les hommes, n'entendez jamais rien aux femmes, repartit la poétesse d'un ton sec. Ce qui est probablement une très bonne chose... pour nous !

Elle jeta un regard contrarié à l'Académicien qui s'était lancé dans un discours alambiqué.

Le banquet à la résidence

共楽太平年
RH

— Ainsi, je suis certain de parler en notre nom à tous pour adresser nos sincères remerciements au Magistrat Lo, poète talentueux, excellent administrateur et hôte irréprochable ! Nous le remercions d'avoir réuni ici, en cette veille de l'heureuse Fête de la Lune, ce petit groupe de vieux amis, sympathiquement unis en une parfaite harmonie pour ce festin ! Yo-lan, ajouta-t-il en dirigeant son regard brillant sur la poétesse, vous allez nous composer une ode en l'honneur de cette occasion ! Voici le thème : « La joyeuse réunion ».

La poétesse leva sa coupe et la tourna dans ses mains quelques instants. Puis elle déclama d'une voix chaude et sonore :

Le vin ambré est chaud dans les coupes d'or
Les rôts et venaisons exhalent leur parfum
Dans la vaisselle d'argent
Et les chandelles rouges brillent haut et clair.

Le magistrat Lo hocha la tête en souriant de satisfaction mais le juge remarqua la lueur de gêne qui brillait dans les gros yeux du fossoyeur rivés sur la poétesse. Celle-ci récita alors le couplet parallèle :

Mais le vin est la sueur et le sang des pauvres,
Les rôts et les venaisons leur chair et leurs os,
Et les chandelles rouges
Répandent leurs larmes de désespoir.

Il se fit soudain un silence consterné. Le poète de cour, cramoisi, jeta à la poétesse un regard courroucé.

— Vous faites allusion à des difficultés passagères, Yo-lan, et que l'on ne rencontre que dans les régions touchées par les inondations ou la sécheresse, dit-il en maîtrisant difficilement son émotion.

— On les rencontre partout et toujours. Et vous le savez ! répliqua-t-elle sèchement.

Le Magistrat Lo frappa vivement dans ses mains. Les musiciens entamèrent un air gai et rythmé, et deux danseuses firent leur apparition. Elles étaient toutes deux très jeunes ; l'une portait une longue robe flottante de gaze transparente, l'autre une robe bleu ciel. Après avoir exécuté une profonde révérence devant la table principale, elles levèrent les bras au-dessus de leur tête et se mirent à tournoyer lentement, en faisant voler autour d'elles leurs longues manches. Tandis que l'une dansait sur la pointe de ses pieds minuscules, l'autre pliait un genou, et elles alternèrent ces figures très rapidement : c'était la célèbre danse des « Deux hirondelles au printemps ». Quoiqu'elles fissent de leur mieux, les deux jeunes filles avaient néanmoins pleinement conscience de leur nudité sous leurs légers vêtements et ne parvenaient pas à atteindre l'abandon des danseuses expérimentées. Les invités ne prêtèrent guère attention à leurs évolutions, et quand les serviteurs apportèrent les plats à la vapeur, la conversation était générale.

Le juge Ti observa discrètement le visage

tendu de sa voisine qui grapillait négligemment sa nourriture. Il avait appris par sa biographie qu'elle avait connu la plus grande misère et il apprécia sa franchise. Son poème n'avait pourtant pas été aimable pour leur généreux hôte, mais bien plutôt cruel.

— Ne pensez-vous pas que votre poème était quelque peu injuste ? lui demanda-t-il en se penchant vers elle. Je sais que sous ses dehors débonnaires le Magistrat Lo est un fonctionnaire hautement consciencieux qui dépense sa fortune personnelle non seulement pour nous recevoir somptueusement, mais aussi pour en faire généreusement don à toutes sortes d'œuvres de charité.

— Qui désire la charité ? rétorqua-t-elle dédaigneusement.

— Désirée ou non, cela aide toujours un bon nombre de gens, remarqua sèchement le juge, pour qui cette étrange femme était une véritable énigme.

La musique s'arrêta et les deux jeunes danseuses saluèrent, froidement applaudies par l'assemblée. D'autres plats furent apportés sur les tables, ainsi que du vin. Après quoi Lo se leva et déclara avec un large sourire :

— Ce que vous venez de voir n'est qu'un modeste préambule au spectacle principal ! Après le ragoût de carpe, il y aura un petit intermède pendant lequel nous irons sur le balcon regarder les feux d'artifice. Ensuite, vous assisterez à une danse ancienne, très rare et propre à cette région, qu'exécutera Petit Phénix, accompagnée par deux flûtes et le petit tambour. Le titre en est : « Lai du Renard Noir. »

Lo regagna sa place sous les murmures des invités stupéfaits.

— Excellente idée, Lo ! s'écria l'Académicien. Enfin une danse que je ne connais pas !

— C'est très intéressant, commenta le poète de cour. En tant qu'originaire de ce district, je sais qu'il existe une vieille tradition concernant les renards, mais je n'ai jamais entendu parler de cette danse.

— Pensez-vous qu'il est convenable de faire exécuter une danse rituelle à ce... ? croassa le frère fossoyeur.

Le reste de sa phrase se perdit dans les vifs accords que l'orchestre venait d'attaquer. Le juge Ti désirait entamer une nouvelle discussion avec la poétesse, mais celle-ci lui dit d'un ton brusque :

— Plus tard, voulez-vous ! J'aime cette musique ; j'ai dansé là-dessus, dans le temps.

Le juge consacra toute son attention à la carpe aigre-douce, véritablement exquise. Soudain, on entendit un sifflement en provenance du jardin. Une fusée fendit l'air, laissant derrière elle une longue trace de couleur.

— Sur le balcon, s'il vous plaît ! s'écria le magistrat Lo. Eteignez tout ! ajouta-t-il à l'adresse de l'intendant qui se tenait près de l'écran.

Tout le monde se leva et sortit sur le balcon. Le juge Ti s'accouda à la balustrade laquée de rouge, près de la poétesse. Lo se plaça de l'autre côté de cette dernière, tandis que le conseiller Kao et le vieil intendant prenaient place un peu plus loin. Le juge aperçut en se retournant la grande silhouette indistincte de l'Académicien. Chang et le fossoyeur devaient être là aussi, pensa-t-il, mais il ne put s'en assurer car la salle du banquet était plongée dans les ténèbres.

Une grande roue de lumières multicolores tournoyait en projetant des étincelles sur l'échafaudage installé dans le jardin. Elle se mit à tourner de plus en plus vite pour s'évanouir brusquement en une pluie d'étoiles de toutes les couleurs.

— Très joli ! remarqua l'Académicien, derrière le juge Ti.

Puis il y eut un bouquet de fleurs qui explosa bruyamment au bout d'un moment, libérant des myriades de papillons, et enfin, une longue suite de signes symboliques, aux couleurs extraordinaires. Le juge désirait reprendre sa conversation avec la poétesse mais il se ravisa en découvrant son visage blême et crispé. Tout à coup, elle se tourna vers Lo :

— Vous nous traitez somptueusement, Magistrat. C'est un spectacle magnifique !

Les dénégations de son voisin se perdirent

dans une série de détonations fracassantes. Le juge Ti huma avec plaisir l'âcre odeur de poudre qui s'élevait du jardin. Cela lui éclaircit quelque peu les idées, car il avait bu de nombreuses coupes, à un rythme soutenu. Un vaste tableau apparut alors, représentant la triade conventionnelle des caractères du Bonheur, de la Prospérité et de la Longévité. Il y eut un dernier lâcher de pétards, puis le jardin redevint noir.

— Merci mille fois, Lo, dit le poète de cour.

Il s'était approché de la rambarde en compagnie de l'Académicien et de Frère Lou. Alors qu'ils félicitaient le magistrat, Yo-lan dit au juge à voix basse :

— Cette triade conventionnelle est absolument stupide. Si vous êtes heureux, les richesses vous rendront malheureux, et une longue vie viendra à bout de votre bonheur. Rentrons, il commence à faire froid et ils rallument les chandelles.

Tandis que les invités rejoignaient leurs places, six serviteurs entrèrent avec des plateaux de beignets. La poétesse ne s'était toujours pas assise.

— Je vais voir si Petit Phénix est prête pour sa danse, expliqua-t-elle au juge. Elle espère se faire une réputation en dansant devant cette assemblée choisie, voyez-vous ; et je suis certaine qu'elle rêve d'être invitée à la capitale ! ajouta-t-elle avant de disparaître par la porte voûtée qui s'ouvrait derrière leur table.

— Je propose de porter un toast à notre généreux hôte ! s'exclama l'Académicien.

Tout le monde leva sa coupe de vin. Le juge saisit un beignet. Il était farci de porc et d'oignons hachés menu, parfumés au gingembre. Il remarqua que l'on avait servi au fossoyeur un plat végétarien de haricots, auquel il ne toucha pas. Il écrasait entre ses gros doigts un morceau de fruit confit, les yeux fixés sur la porte par laquelle venait de disparaître la poétesse ; quand soudain, le magistrat Lo laissa brutalement tomber ses baguettes sur la table et montra la porte en poussant une exclamation étouffée. Le juge Ti pivota sur son siège.

La poétesse se tenait dans l'encadrement de la porte. Le visage mortellement pâle, elle contemplait ses mains d'un air hagard. Elles étaient couvertes de sang.

XI

Le juge Ti préside une soirée poétique ;
un fossoyeur fait des vers.

Comme Yo-lan chancelait, le juge, qui était le plus près d'elle, bondit et la retint par le bras.

— Etes-vous blessée ? lui demanda-t-il d'un ton cassant.

La poétesse leva vers lui des yeux hagards.

— Elle... elle est morte, parvint-elle à prononcer. La... la gorge tranchée. J'en ai... sur les mains.

— Bon sang ! Que dit-elle ? s'écria l'Académicien. S'est-elle coupée ?

— Non, il paraît que la danseuse a eu un accident, déclara calmement le juge à l'assemblée. Nous allons voir ce que nous pouvons faire.

Le juge fit signe à Lo et conduisit la poétesse hors de la salle ; elle s'appuyait de tout son poids sur son bras. Dans la petite pièce attenante, le conseiller Kao et l'intendant donnaient des instructions à une servante. En voyant passer la poétesse, ils restèrent médusés, et la servante laissa tomber par terre le plateau qu'elle portait. Alors que le Magistrat Lo se précipitait vers lui, le juge lui chuchota dans un souffle :

— La danseuse a été assassinée.

— Courez à l'entrée principale et donnez l'ordre de ne laisser passer personne ! dit Lo à son conseiller. Demandez à un employé du tribunal d'aller chercher le contrôleur des décès ! (Et à l'adresse de son intendant :) Faites fermer immédiatement toutes les issues de la résidence, et appelez l'intendante de mes épouses !

Puis, tournant autour de la servante abasourdie, il hurla :

— Conduisez Mademoiselle Yo-lan dans l'antichambre, au bout de la galerie, installez-la confortablement dans un fauteuil et restez avec elle jusqu'à l'arrivée de l'intendante !

Le juge Ti avait pris à la jeune domestique la serviette qu'elle portait glissée dans sa ceinture et en essuyait hâtivement les mains de Yo-lan. Il n'y avait aucune trace de blessure.

— Par où accède-t-on au foyer ? demanda-t-il à son collègue en confiant la poétesse à la servante.

— Suivez-moi ! répondit brusquement Lo avant de s'engager dans un étroit couloir qui longeait le côté gauche de la salle du banquet. Arrivé au bout, il poussa la porte et s'arrêta net sur le seuil, bouche bée. Après avoir jeté un rapide coup d'œil vers la volée de marches plongée dans l'obscurité qui partait en face de la porte, le juge Ti suivit le magistrat dans l'étroite pièce oblongue où régnait une odeur de sueur et de parfum. Il n'y avait personne, mais la grande lampe à pied de soie blanche éclairait le corps à demi-nu de Petit Phénix qui gisait sur le dos, en travers du banc d'ébène. Elle ne portait qu'une robe de dessous transparente ; ses jambes blanches et musclées pendaient vers le sol. Ses bras graciles étaient grands ouverts et ses yeux aveugles fixaient le plafond. Le côté gauche de son cou n'était plus qu'une plaie béante par laquelle le sang gouttait lentement sur la natte de jonc du banc. Il y avait des empreintes de doigts tachés de sang sur ses maigres épaules. Sous l'épais maquillage, son visage de masque, avec son long nez et sa bouche tordue qui laissait apparaître une rangée de petites dents pointues, évoqua au juge le museau d'un renard.

Le magistrat Lo posa la main sous l'un de ses petits seins tendus.

— Cela s'est produit il y a quelques minutes à peine ! murmura-t-il en se redressant. Et voilà l'arme du crime ! ajouta-t-il en montrant par terre une paire de ciseaux couverts de sang.

Tandis que Lo se penchait sur l'arme, le juge Ti jeta un coup d'œil aux vêtements féminins, soigneusement pliés sur une chaise, devant la modeste coiffeuse. Une volumineuse robe de soie verte à larges manches, une ceinture rouge et deux longues écharpes de soie transparente étaient accrochées à un haut portemanteau, dans le coin de la pièce.

— Elle a été tuée au moment où elle allait enfiler cette tenue de danse, remarqua-t-il en se tournant vers son collègue.

Le juge ramassa sur la table le cahier de musique du candidat Song et le glissa dans sa manche ; son regard tomba sur une petite porte, à angle droit par rapport à celle par laquelle ils étaient entrés.

— Où mène-t-elle ?

— A la salle du banquet, expliqua le magistrat Lo. Elle donne juste derrière l'écran mural.

Le juge Ti tourna la poignée. Une fois la porte entrouverte, il entendit la voix du poète de cour :

— ... que Lo ait un médecin à demeure. Car...

Le juge Ti referma tout doucement la porte.

— Vous allez certainement inspecter les lieux, Lo, dit-il. Ne pensez-vous pas que je ferais mieux de retourner dans la salle du banquet et de vous y remplacer comme hôte ?

— Oh oui, je vous en prie, Ti ! Heureusement que vous avez dit qu'il s'agissait d'un accident. Tenons-nous-en à cette version des faits ; il est inutile d'inquiéter les invités. Dites qu'elle s'est coupée avec des ciseaux. Je vous reverrai tout à l'heure, quand j'aurai fini d'interroger tout le monde.

Le juge acquiesça et sortit. Il ordonna au

groupe de domestiques affolés réunis dans l'office de se remettre à leur travail et entra dans la salle du banquet.

— La danseuse s'est blessée avec des ciseaux au pied droit, déclara-t-il en regagnant sa place ; elle s'est ouvert une veine. La poétesse a essayé d'arrêter le sang, mais elle a failli s'évanouir, et s'est précipitée pour nous demander de l'aide. Je vais remplacer Lo, si je puis me permettre.

— Faites confiance aux femmes pour faire des bêtises en un moment pareil ! dit l'Académicien. Je suis ravi que ce ne soit pas Yo-lan qui se soit blessée. Mais je suis quand même désolé pour cette petite danseuse. Toutefois, je ne peux pas dire que je regrette de ne pas voir cette danse du renard. Nous sommes réunis ici dans un but beaucoup plus élevé que de regarder une gamine faire des entrechats !

— C'est triste pour une danseuse de se blesser au pied, remarqua le poète. Eh bien, maintenant que nous ne sommes plus que quatre, nous pourrions peut-être nous passer de toute cérémonie. Pourquoi ne réunirions-nous pas ces trois tables en une seule ? Si Yo-lan réapparaît, nous lui ferons une place.

— Très bonne idée ! s'exclama le juge.

Il frappa dans ses mains et ordonna aux domestiques de repousser les deux tables latérales devant la table d'honneur. Il déplaça son siège et le fossoyeur fit de même, de sorte que les deux hommes se retrouvèrent assis en face de

Chao et de Chang, de part et d'autre de la table carrée ainsi improvisée. Puis le juge fit signe aux domestiques de remplir à nouveau leurs coupes. Après avoir bu au prompt rétablissement de la danseuse, deux serviteurs apportèrent un plateau de canard rôti, pendant que l'orchestre attaquait un nouveau morceau. C'est alors que l'Académicien leva la main et s'écria :

— Dites-leur de remporter ce plateau, Ti ! Et renvoyez également ces violoneux. Nous avons suffisamment mangé et entendu de musique ! A présent, nous pouvons nous mettre à boire sérieusement !

Le poète de cour proposa un nouveau toast, puis ce fut au tour de Frère Lou et enfin le juge en porta un aux trois invités au nom de leur hôte absent. L'Académicien entraîna le poète dans une discussion compliquée sur les mérites comparés de la prose classique et des œuvres modernes. Cela donna la possibilité au juge de bavarder avec Frère Lou. Le fossoyeur avait beaucoup bu, visiblement ses vœux d'abstinence n'incluaient pas le vin. Le léger voile de sueur qui recouvrait son grossier visage le faisait plus que jamais ressembler à un crapaud.

— Avant dîner, commença le juge, vous avez dit que vous n'étiez point bouddhiste. Pourquoi donc avez-vous pris le titre de frère fossoyeur ?

— J'ai reçu ce titre quand j'étais jeune, et il m'est resté, expliqua-t-il d'un ton bourru. A tort, je le reconnais. Car je laisse les morts enterrer leurs morts, précisa-t-il avant de vider sa coupe d'un trait.

— Il y a beaucoup de bouddhistes dans ce district, semble-t-il. J'ai vu une rue bordée d'une demi-douzaine de temples bouddhistes ; mais je n'ai eu le temps que d'en visiter un seul : le Temple de la Subtile Clairvoyance. De quelle secte s'agit-il ?

Le fossoyeur le regarda de ses gros yeux où brillait à présent une étrange lueur rougeâtre.

— D'aucune. Ils ont découvert que la voie la plus courte vers la vérité dernière doit être recherchée en chacun de nous. Nous n'avons pas besoin que Bouddha nous dise où et comment la découvrir. Il n'y a ni autels fastueux, ni livres saints, ni bruyants offices religieux. C'est un endroit paisible et c'est là que j'habite quand je viens à Chin-houa.

— Hé ! Fossoyeur ! s'écria l'Académicien. Chang vient de me dire que ses poèmes sont de plus en plus courts ! Ils n'auront bientôt plus que deux lignes, comme les vôtres, s'il continue dans cette voie.

— Si seulement j'en étais capable ! répondit avec des regrets dans la voix le poète, la face écarlate.

Chang supportait moins bien l'alcool que l'Académicien dont les joues flasques étaient restées pâles et qui arborait un air toujours aussi impassible.

— Au premier abord, Frère Lou, vos vers

semblent d'une grande banalité, poursuivit le poète en hochant la tête ; on a même parfois l'impression qu'ils ne veulent rien dire du tout ! Et pourtant, ils continuent à vous trotter dans la tête, et un jour vous en comprenez soudain le sens. Un toast spécial à notre grand poète, Messieurs !

Quand tout le monde eut vidé sa coupe, le poète reprit :

— A présent que nous avons cette salle pour nous tout seuls, si je puis dire, que ne traceriez-vous quelque sentence sur cet écran pour notre hôte, hein, fossoyeur ? Votre calligraphie sans pareille consolera Lo de tous les toasts qu'il a manqués !

L'affreux moine reposa sa coupe de vin.

— Vous m'épargnerez votre frivolité, Chang, dit-il froidement. Je prends mon œuvre au sérieux.

— Oh, oh ! Fossoyeur ! s'écria l'Académicien. Nous n'accepterons aucune excuse. Vous n'osez pas écrire parce que vous êtes dans un bel état ! Je parie que vous ne tenez déjà plus sur vos jambes ! Allez, venez, c'est maintenant ou jamais !

Le poète de cour éclata de rire. Sans prêter attention à ce dernier, le fossoyeur expliqua calmement au juge :

— C'est beaucoup de travail que de descendre ce grand écran, et les domestiques ne savent plus où donner de la tête. Si vous me trouvez une feuille de papier, j'écrirai un poème pour notre hôte, ici, à table.

— Très bien ! répondit l'Académicien. Nous sommes magnanimes ! Puisque vous êtes trop ivre pour tracer vos grands caractères, nous vous laisserons faire une toute petite inscription. Demandez à ces garçons d'apporter de l'encre et du papier, Ti !

Deux serviteurs débarrassèrent la table et une domestique apporta un rouleau de papier vierge et un plateau avec un nécessaire à écrire. Le juge Ti choisit une feuille de papier blanc et épais de cinq pieds sur deux et la lissa sur la table tandis que le fossoyeur frottait la pierre à encre, tout en maugréant entre ses lèvres épaisses. Comme le gros moine saisissait le pinceau à calligraphier, le juge posa les mains à plat sur le bord supérieur du papier, pour le maintenir en place.

Le fossoyeur se leva. Il contempla un bref instant la feuille, puis tendit la main et écrivit deux vers, pratiquement en deux coups de pinceau, aussi vifs et précis qu'un coup de fouet.

— Ciel ! s'exclama l'Académicien. C'est bien là ce que les anciens appelaient l'écriture inspirée ! Je ne dirai pas que le contenu me touche particulièrement, mais la calligraphie mérite d'être gravée dans le roc pour la postérité !

Le poète de cour lut les vers à voix haute :

— « Nous retournons tous là d'où nous venons,

Là où s'en est allée la flamme de la chandelle éteinte. »

Vous voulez bien nous en expliquer le sens, fossoyeur ?

— Non, répliqua-t-il.

Puis il choisit un pinceau plus petit et dédia le poème au magistrat Lo, signant d'un paraphe compliqué : « Le Vieux Lou ».

Le juge Ti demanda au domestique de fixer la feuille sur le panneau central de l'écran mural et fut frappé de constater que cela pouvait parfaitement servir d'épitaphe à la jeune danseuse dont le corps reposait dans la pièce à côté.

Le conseiller Kao entra dans la salle. Se penchant vers le juge Ti, il lui murmura quelque chose à l'oreille.

— Mon collègue me prie de vous informer, Messieurs, qu'à son profond regret il ne pourra nous rejoindre, annonça le juge. La poétesse Yo-lan, victime d'une violente migraine, vous prie également de l'excuser. J'espère que cette honorable assemblée me fera la grâce de se contenter de moi comme hôte.

L'Académicien vida sa coupe.

— Vous vous débrouillez très bien, Ti, mais nous nous en tiendrons là, n'est-ce pas, Messieurs ? dit-il en s'essuyant la moustache. Nous remercierons Lo demain matin, quand nous irons ensemble à l'Autel de la Lune, ajouta-t-il en se levant.

Le juge Ti le reconduisit jusqu'au grand

escalier, ainsi que le conseiller, suivi du poète et du fossoyeur. Tout en descendant les marches, Chao dit avec un large sourire :

— La prochaine fois, Ti, il faudra que nous discutions plus longuement tous les deux ! Je brûle de savoir ce que vous pensez de certains problèmes administratifs. Cela m'intéresse toujours de savoir ce que les jeunes fonctionnaires ont à dire sur…

L'Académicien s'interrompit et jeta au juge un regard interrogateur, se demandant s'il ne lui avait pas déjà dit tout cela. Il résolut son problème en concluant jovialement :

— En tout cas, on se voit demain ! Bonne nuit !

Après avoir pris congé de ses trois invités et les avoir vus disparaître vers leurs chambres, le juge demanda au conseiller :

— Où est le magistrat, Monsieur Kao ?

— Dans l'antichambre, là en bas, dans le bâtiment principal, Excellence. Je vais vous y conduire.

Le petit magistrat était assis à la table à thé, enfoncé dans un fauteuil, les coudes sur la table, la tête baissée. En entendant entrer le juge, il leva la tête, l'air hagard. Son visage rond s'était effondré ; et sa moustache même retombait lamentablement.

— Je suis perdu, Ti, déclara-t-il d'une voix rauque. Complètement ruiné… pour de bon !

XII

Un magistrat est gravement compromis ;
un obscur escalier
éclaire la situation.

Le juge Ti approcha un siège et s'assit en face de son collègue.

— La situation pourrait difficilement être pire, déclara-t-il d'un ton calme. Il n'est jamais très agréable qu'un meurtre soit commis dans sa demeure, j'en conviens, mais cela arrive parfois. En ce qui concerne le mobile de ce crime atroce, cela vous intéressera peut-être de savoir qu'aux dires du flûtiste que je suis allé voir en ville pour les partitions de Song, Petit Phénix était passée maître dans l'art de faire marcher ses clients. Une fille qui aguiche les hommes puis les repousse au dernier moment est susceptible de se faire des ennemis acharnés. Supposons donc que l'un d'eux se soit mêlé aux nombreux fournisseurs pour pénétrer ici sans se faire remarquer et ait gagné le foyer en empruntant cet escalier obscur que j'ai remarqué en face de la porte.

Lo écoutait à peine son collègue. Toutefois, il

releva la tête à ses derniers mots et dit d'un air las :

— La porte ouvrant au bas de cet escalier est fermée depuis mon installation ici. Mes femmes ne sont pas toujours aussi dociles qu'il le faudrait, mais je suis loin de remettre en usage l'Escalier de la Consorte.

— L'Escalier de la Consorte ? Mais grands dieux, de quoi s'agit-il ?

— Ah, c'est vrai, vous ne lisez pas de poésie moderne, n'est-ce pas ? En réalité, le fameux Neuvième Prince, qui résidait ici il y a vingt ans, n'était pas seulement un traître, il était de plus entièrement soumis à sa femme. On dit que c'est poussé par les chamailleries de son épouse qu'il tenta cette funeste rébellion. C'est elle qui dirigeait tout « derrière l'écran », comme on dit. Elle s'était fait construire cette pièce derrière la salle du banquet, ainsi que l'escalier qui donne sur un couloir menant directement aux appartements des femmes. Il y avait à l'époque un grand écran, au fond de la pièce, comme aujourd'hui. Lorsque le Prince était assis sur son trône devant l'écran, pour une audience, son épouse se rendait dans cette pièce et se plaçait derrière pour écouter ce qui se disait. Si elle frappait un coup contre l'écran, le Prince savait qu'il devait répondre non, et deux coups, oui. Cette anecdote est devenue si célèbre que l'on emploie fréquemment aujourd'hui dans la littérature l'expression « Escalier de la Consorte » lorsque l'on veut parler d'un mari soumis.

Le juge hocha la tête.

— Alors si le meurtrier n'a pas pu se rendre au foyer par cet escalier, comment a-t-il réussi à...

Lo poussa un profond soupir, en secouant tristement la tête.

— Vous êtes donc aveugle, Ti ! Mais la coupable n'est autre que cette déconcertante poétesse, voyons, c'est évident !

— Impossible, Lo ! s'exclama le juge en se redressant sur son siège. Voulez-vous insinuer que cette Yo-lan est entrée dans la pièce au moment même où la danseuse... Juste ciel ! murmura-t-il. Effectivement, elle a très bien pu le faire, c'est sûr... Mais pourquoi, au nom du ciel ?

— Vous avez lu ma petite notice biographique, n'est-ce pas ? Je pense que les choses y sont assez clairement exprimées. Elle ne supportait plus les hommes. Quand elle a vu Petit Phénix, elle s'est éprise d'elle. J'ai trouvé un peu bizarre qu'elle ait pris personnellement l'initiative de l'introduire dans mon bureau. Et c'était des « ma chérie » par-ci, et des « ma chérie » par-là ! Ce soir, elle est arrivée dans la salle du banquet très en avance, pour aider la danseuse à se préparer. Se préparer, façon de parler ! Elle est restée au foyer plus d'une demi-heure ! Elle essayait de séduire la petite, bien sûr. La danseuse l'a menacée de porter plainte, et pendant la première partie du dîner, cette damnée poétesse a échafaudé un plan pour la réduire au silence.

— Pour la simple raison qu'elle l'avait menacée de porter plainte ? s'étonna le juge. Yo-lan s'en fichait éperdument. Elle a eu autrefois de nombreuses... (Le juge se frappa brusquement le front.) Toutes mes excuses, Lo ! Je suis complètement bouché ce soir ! Auguste ciel ! Une plainte officielle aurait pu envoyer Yo-lan à l'échafaud ! Elle aurait corroboré le témoignage de l'amoureux de la servante assassinée et fait pencher le plateau de la balance en sa défaveur !

— Exactement ! L'affaire qui l'a obligée à quitter le Séchouan a été efficacement étouffée. La jeune personne concernée étant la fille d'un préfet, il ne risquait pas d'apparaître de preuve compromettante de ce côté-là. Mais imaginez un peu qu'une danseuse professionnelle se présente au tribunal et apporte son témoignage direct, avec tous les odieux détails, sur une tentative commise ici même, à côté de la salle où se tenait un banquet officiel ! Le compte de Yo-lan aurait été réglé une bonne fois pour toutes ! La poétesse était aux abois. Mais pas autant que moi maintenant ! ajouta-t-il en passant sa main potelée sur son visage moite. En tant que magistrat de ce district, j'avais tout à fait le droit de détenir chez moi une accusée de passage sur mon territoire. Mais il a bien sûr fallu que je m'en porte garant auprès du militaire qui était chargé de sa surveillance. Il est écrit noir sur blanc, avec mon sceau et ma signature, que je suis entièrement responsable de la prisonnière tant qu'elle se trouve sous mon toit. Et voilà que cette femme a commis un meurtre de la même nature que celui dont elle est accusée ! Quel toupet ! Elle s'attend à ce que je la couvre en accusant le fameux inconnu venu du dehors. Pour sauver ainsi sa peau, et la mienne ! Mais alors là, elle se trompe !

Le magistrat poussa un soupir et poursuivit d'un ton lugubre :

— Quelle déveine, Ti ! Dès que j'aurai fait un rapport sur cette affaire déshonorante, la Cour Métropolitaine me suspendra en m'accusant de manquement à mes devoirs et de négligence criminelle. Je serai condamné aux travaux forcés à la frontière — avec un peu de chance, et voilà ! Quand je pense que j'ai invité cette femme afin d'obtenir les suffrages des grands de la capitale pour ce geste amical envers une célèbre poétesse en détresse !

Lo sortit un grand mouchoir de sa manche et s'épongea le visage.

Le juge Ti se carra sur sa chaise, en tortillant ses sourcils broussailleux. Son ami était effectivement en fort mauvaise posture. L'Académicien pourrait certainement faire quelque chose pour lui, intervenir en essayant de faire juger l'affaire à huis clos dans la capitale. La publicité ne vaudrait rien non plus à la réputation de l'Académicien. Par ailleurs... non, il allait trop vite en besogne.

— Qu'a dit la poétesse ? demanda-t-il posément en reprenant son calme.

— Elle ? Elle a dit qu'après être entrée dans le foyer et avoir découvert la danseuse baignant dans son sang, elle s'était précipitée vers elle et avait essayé de la soulever par les épaules, pour voir ce qu'elle avait ! Constatant qu'elle était morte, elle est accourue vers nous chercher du secours. Elle se repose en ce moment dans la chambre de ma Première Epouse qui la réconforte avec des serviettes froides et tout ce qu'il faut !

— N'a-t-elle rien déclaré sur un coupable présumé ?

— Oh si ! Elle m'a répété avec une légère nuance ce que le flûtiste vous avait dit. Yo-lan soutient que Petit Phénix était pure, et c'est pourquoi les hommes méchants, très méchants, la détestaient ! Elle prétend qu'un admirateur éconduit s'est introduit ici pour la tuer, me fournissant ainsi le meilleur moyen de m'en sortir ! Je l'ai quittée en m'abstenant de tout commentaire et en lui demandant simplement de s'en tenir pour l'instant à l'histoire de l'accident.

— Et qu'en est-il du rapport du contrôleur des décès ?

— Rien de plus que ce que nous savons déjà

ou aurions pu deviner, Ti. Il a confirmé qu'elle avait été assassinée peu avant que nous l'ayons découverte, dix ou quinze minutes tout au plus ; et il a ajouté qu'elle était vierge, ce qui n'a rien pour m'étonner. Ce visage maigrichon, cette poitrine plate ! Enfin, les deux dernières personnes à l'avoir vue en vie sont les deux jeunes danseuses qui lui ont apporté du thé et des gâteaux juste avant de ranger leurs affaires et de rentrer au Boudoir de Saphir. La gamine était alors fraîche comme l'œil !

— Qu'ont dit les domestiques ? Et les musiciens ?

— Vous pensez toujours à cet hypothétique inconnu, hein ? Pas de chance ! J'ai interrogé tout le monde avec mon conseiller. Les musiciens regardaient le feu d'artifice de leur pièce, et personne n'en est sorti. Et pendant tout ce temps, il y avait des domestiques partout, dans l'escalier principal, et à chaque bout du balcon. Il était impossible à votre inconnu de monter à l'étage sans se faire remarquer. J'ai cuisiné tout le monde : pour savoir si quelqu'un connaissait déjà la danseuse ; rien à faire. Elle était pure, rappelez-vous ! En outre, cette paire de ciseaux est une arme typiquement féminine. C'est une belle affaire, n'est-ce pas ? Sans bavures ! Merveilleusement simple, conclut-il en frappant du poing sur la table. Juste ciel ! Quel procès cela va faire ! Un événement national ! Avec votre serviteur du mauvais côté de la barrière, malheureusement ! La conclusion ignominieuse d'une carrière prometteuse !

Le juge resta un moment silencieux, caressant pensivement ses favoris, puis finit par hocher la tête d'un air dubitatif.

— Il y a une autre possibilité, Lo, mais je crains qu'elle ne vous plaise pas non plus !

— On ne peut pas dire que vous soyez particulièrement réconfortant, frère-né-avant-moi, mais dites quand même : un homme dans une situation aussi désespérée que la mienne se raccrocherait à un fétu de paille !

Le juge Ti posa les coudes sur la table.

— Il n'y a pas moins de trois autres suspects, Lo. A savoir, vos trois honorables invités.

Le petit magistrat bondit de son siège.

— Vous avez bu un coup de trop ce soir, Ti !

— C'est probable, autrement j'aurais pensé plus tôt à cette possibilité. Reportez-vous au moment où nous regardions le feu d'artifice sur le balcon, Lo. Vous nous revoyez près de la balustrade ? La poétesse se trouvait à ma gauche, et vous à côté d'elle. Un petit peu plus loin, il y avait votre conseiller et votre intendant. Or, malgré la beauté du spectacle, j'ai néanmoins regardé de temps en temps ce qui se passait autour de moi et je sais que pas un de nous ne s'est éloigné du balcon. Mais je n'en dirais pas autant de Chao, de Chang ni du fossoyeur qui se trouvaient quelque part derrière nous. J'ai aperçu une fois l'Académicien, au début, puis à la fin du spectacle, au moment où il s'est approché avec Chang et le fossoyeur, Lo. Les avez-vous vus pendant le feu d'artifice ?

Le magistrat, qui n'avait pas cessé d'arpenter la pièce, s'arrêta net et retourna s'asseoir.

— Au début du feu d'artifice, Ti, le poète de cour était à côté de moi. Je lui ai offert ma place, mais il a prétendu très bien voir par-dessus mon épaule. J'ai aperçu également Frère Lou, qui se trouvait à côté de Chang. Au milieu du spectacle, j'ai voulu m'excuser auprès du fossoyeur pour l'absence de motifs bouddhistes dans les figures symboliques, mais je n'ai pu le voir, la salle du banquet était plongée dans le noir et j'étais ébloui par l'éclat des feux d'artifice.

— C'est bien ce que je craignais. Eh bien, vous venez de me faire remarquer que tout poète connaît l'histoire de l'Escalier de la Consorte, de la pièce au fond de la salle et de la porte cachée derrière l'écran. Cela signifie que chacun de nos trois invités a très bien pu tuer la danseuse au foyer. Vous aviez annoncé qu'elle se produirait juste après le feu d'artifice. Ils avaient donc largement le temps d'échafauder un plan simple et efficace. Une fois que les domestiques eurent éteint les lumières et que tout le monde eut les yeux tournés vers le jardin, le meurtrier est rentré dans la salle, s'est glissé derrière l'écran puis dans le foyer. Tout en lui disant quelques mots aimables, il a saisi les ciseaux et l'a tuée. Puis il est revenu calmement sur le balcon par le même chemin. Trois minutes lui suffisaient largement pour tout cela.

— Et s'il avait trouvé la porte fermée ?

— En ce cas, il aurait pu se permettre d'y frapper, Lo, car vos feux d'artifice faisaient énormément de bruit. Et s'il avait découvert une domestique auprès de Petit Phénix, il pouvait tout simplement dire que le spectacle l'ennuyait et qu'il était venu bavarder un instant, remettant son projet de meurtre à une occasion plus propice. Les conditions idéales pour un meurtre étaient réunies, Lo.

— Assurément, si l'on y songe, répondit Lo d'un air pensif en tirant sur sa courte moustache. Mais, Ti, n'est-il pas ridicule de penser qu'un de ces grands hommes aurait...

— Les connaissez-vous bien, Lo ?

— Eh bien... vous savez comment cela se passe avec les gens célèbres, Ti. Je les ai tous rencontrés deux ou trois fois, mais jamais seuls, et nous avons parlé de littérature, d'art, etc. Non, en réalité, je ne sais pas grand-chose d'eux personnellement. Mais cherchez ailleurs, frère-né-avant-moi ! Leurs carrières en ont fait des personnages publics ! S'il y avait dans leur vie quoi que ce fût d'étrange, cela se saurait... Sauf en ce qui concerne le fossoyeur, naturellement. Rien ne l'a jamais arrêté, absolument rien ! Il n'a pas toujours été aussi détaché des choses terrestres, vous savez. Il a commencé par administrer un vaste domaine religieux de la région des lacs, où il saigna à blanc les fermiers. Il s'en est repenti par la suite, bien entendu, mais... (Lo eut un léger sourire.) A dire vrai, Ti, je ne me suis pas encore réellement habitué à cette nouvelle hypothèse !

— Je comprends parfaitement, Lo. C'est effectivement quelque peu gênant de considérer ces trois illustres individus comme de possibles meurtriers. A propos du fossoyeur, il vous a fait une très belle inscription, à table. Il l'a accrochée sur l'écran. Eh bien, oublions tous ces grands talents et éminentes situations pour considérer ces trois hommes comme de simples suspects dans une affaire de meurtre. Nous savons que tous trois en ont eu la possibilité. Vient ensuite le problème du mobile. La première chose à faire, c'est de procéder à une enquête sur la danseuse au Boudoir de Saphir. Chacun d'eux, semble-t-il, était à Chin-houa depuis un jour ou deux ; de sorte qu'ils ont très bien pu avoir rencontré Petit Phénix avant qu'elle ne leur ait été présentée cet après-midi. A propos, comment a-t-elle fait leur connaissance ?

— Oh ! Au moment où je montais à l'étage pour montrer à Chao et à Chang la salle du banquet, Yo-lan et la danseuse en descendaient, et je leur ai présenté la jeune fille. Plus tard, j'ai aperçu du balcon Petit

Phénix qui tombait sur Frère Lou, devant l'Autel du Renard. Il occupe la petite chambre juste derrière l'Autel, vous voyez ?

— Je vois. Eh bien, à votre retour du Boudoir de Saphir, nous devons retrouver dans les archives le dossier qu'y étudiait Song, car...

— Grands Dieux ! L'assassinat du candidat Song ! Deux meurtres à élucider ! Attendez, voyons, qu'a bien pu me dire mon intendant sur le propriétaire de Song ? Ah oui, ses hommes ont fait leur petite enquête dans le quartier, et le marchand de thé y est très populaire. Pas l'ombre d'un scandale ni d'affaires douteuses. A mon avis, il n'a tenu à nous faire partager sa théorie du rôdeur que pour faire montre de sa perspicacité. Les gens adorent jouer les détectives amateurs, vous savez bien !

— Oui, nous pouvons donc écarter Meng. J'avais envisagé l'hypothèse que Song ait eu une liaison avec la fille de Meng. Elle est jolie et la servante m'a dit qu'elle entendait de sa chambre les romances que Song jouait le soir à la flûte. Si Meng en avait eu vent... Mais maintenant nous savons que c'était de Safran que Song était amoureux, et que c'était à elle qu'il destinait les bijoux d'argent. Et le candidat a parlé de Meng à Safran, sans laisser entendre qu'il le soupçonnait d'avoir tué son père ; en conséquence nous ne pouvons rien retenir contre le marchand de thé. Revenons à Petit Phénix, ajouta-t-il en lissant sa longue barbe noire. Nous nous apprêtions à lui demander de nous décrire le père de Safran. Vous pourriez vous renseigner au Boudoir de Saphir pour savoir si par hasard la danseuse aurait dit que la gardienne du Sanctuaire du Renard noir était une enfant illégitime, et que son père était encore à Chinhoua. Fixons-nous un programme pour la journée de demain, Lo. Premièrement, vous irez au Boudoir de Saphir. Deuxièmement, nous rechercherons dans vos vieilles archives l'affaire de meurtre survenue il y a dix-huit ans concernant le candidat assassiné. Troisièmement...

— Vous devrez vous charger du Boudoir de Saphir à ma place, Ti ! J'ai promis à mon épouse et à mes enfants d'emmener mes invités voir l'Autel de la Lune qu'ils ont érigé dans la quatrième cour et ce, demain matin. Si ma vieille mère se sent assez bien, elle se joindra à nous.

— Très bien. J'irai au Boudoir de Saphir juste après le petit déjeuner. Vous seriez aimable de me faire porter dans mes appartements une lettre d'introduction pour la tenancière de l'établissement. Je vous rejoindrai ensuite pour voir l'Autel de la Lune, et dès que possible nous nous rendrons ensemble au tribunal pour y consulter les archives. En ce qui concerne la troisième chose à faire, je m'en chargerai : il s'agit d'aller au Sanctuaire du Renard noir et de convaincre Safran de quitter cet horrible endroit. Vous avez bien un coin retiré où l'on pourrait l'installer, j'imagine ?

Son collègue ayant acquiescé, le juge poursuivit lentement :

— Ce sera difficile de la séparer de ses renards et de son macabre amoureux, mais j'ai bon espoir de lui faire entendre raison. En parlant de Safran, Lo, je dois vous préciser que Frère Lou séjournait dans un temple aux abords de la friche. Et il a une théorie fumeuse selon laquelle certains êtres humains auraient des affinités particulières avec les renards. Quel dommage de ne pas avoir demandé à Safran si son père était gros ou maigre !

— Sottises, Ti ! rétorqua Lo avec impatience. Safran vous a dit que d'après la danseuse il était beau !

Le juge Ti hocha la tête d'un air approbateur. Sous ses dehors distraits, son collègue était un auditeur très attentif.

— C'est exact, Lo. Mais Petit Phénix a peut-être dit cela dans le seul but de faire plaisir à cette malheureuse enfant. J'irai la chercher au temple abandonné après déjeuner afin d'avoir tout l'après-midi à consacrer à cette tâche délicate. A moins, évidemment, que le préfet ne me convoque.

— A Dieu ne plaise ! s'écria Lo consterné. Vous ne pouvez savoir combien je vous suis reconnaissant, Ti ! Vous m'avez donné une lueur d'espoir !

— Une très petite lueur, malheureusement. Au fait, à quelle heure avez-vous prévu le festin à la Falaise d'Emeraude ? C'est en dehors de la ville, n'est-ce pas ?

— En effet. Il s'agit de notre site le plus pittoresque, frère-né-avant-moi ! Au sommet de la chaîne de montagnes la plus proche, à une demi-heure environ en litière de la Porte Ouest. A l'occasion de la Fête de la Mi-automne, vous le savez, on est censé escalader un endroit escarpé ! Il y a un pavillon, à la lisière d'une forêt de pins séculaire. Ce lieu vous plaira, Ti, vous verrez ! Les domestiques nous précéderont pour tout préparer. Nous partirons vers six heures du soir pour arriver juste au coucher du soleil. Il est minuit passé, ajouta-t-il en se levant, et je suis épuisé, Ti. Je crois que nous ferions mieux de nous coucher. Je vais juste faire un saut au premier pour voir l'inscription tracée par Frère Lou.

Le juge s'était levé à son tour.

— Vous allez trouver la calligraphie magnifique, dit-il. Mais le contenu laisse à penser qu'il savait que la danseuse était morte.

XIII

Le juge Ti prend le thé
avec une grosse dame ;
il soupçonne de meurtre
d'éminents personnages.

Le juge Ti se réveilla de bonne heure. Il ouvrit les portes coulissantes et sortit en robe de chambre sur la véranda pour jouir de la fraîcheur du matin. Le jardin de rocaille était encore dans l'ombre ; un léger voile de rosée recouvrait les feuilles des bambous.

Pas un bruit ne venait de la résidence, derrière lui. Personne ne semblait encore levé. Les domestiques s'étaient certainement couchés tard, ayant dû tout remettre en ordre après le banquet. Toutefois, on entendait des ordres hurlés et des cliquetis d'armes en provenance de l'enceinte du tribunal : les gardes exécutaient leurs manœuvres matinales.

Après avoir fait tranquillement sa toilette, le juge passa une large robe de soie bleue et coiffa un bonnet carré de gaze noire empesée. Il frappa dans ses mains et demanda au serviteur, encore tout endormi, de lui apporter une théière et un bol de gruau de riz avec des pickles. Le garçon revint avec un plateau chargé de nourriture : du riz blanc, un assortiment de légumes au vinaigre, du poulet froid, une omelette au crabe, un ragoût de haricots, une boîte de bambou pleine de beignets et un plat de fruits frais émincés en tranches. Visiblement, ce genre de somptueux petits déjeuners était de règle à la résidence. Le juge Ti lui demanda d'installer la table à l'extérieur, sous la véranda.

Il venait de commencer son petit déjeuner, quand un employé du tribunal lui apporta une enveloppe scellée. C'était un mot de son collègue :

Frère-né-avant-moi,

L'intendant va emporter le corps de la danseuse au Boudoir de Saphir. Il leur fera comprendre qu'il y va de leur intérêt de tenir cette affaire secrète jusqu'à demain, où je la ferai passer en audience au tribunal. Veuillez trouver ci-joint une lettre d'introduction adressée à la gérante de l'établissement.

Votre ignorant frère-né-après-vous,

Lo Kouan-chong

Le juge glissa la lettre dans sa manche et pria l'employé de le conduire à l'entrée principale du tribunal, lui expliquant qu'il désirait faire une petite promenade. Au coin de la rue, il loua une litière et ordonna aux porteurs de le mener au

Boudoir de Saphir. Tout en se laissant transporter par les rues déjà envahies de gens qui se rendaient au marché, il se demanda comment son collègue avait réussi à cacher à son personnel la mort de la danseuse. Son diligent intendant avait probablement pris les dispositions nécessaires. Les porteurs déposèrent la chaise devant une simple porte laquée de noir, dans une paisible rue résidentielle. Le juge était sur le point de leur dire qu'ils s'étaient trompés d'adresse quand il avisa les deux caractères « Boudoir de Saphir » gravés sur une petite plaque de cuivre fort discrète, près de la porte.

Un portier revêche l'introduisit dans une jolie cour pavée, ornée de plantes en fleurs disposées dans des pots de marbre blanc sculpté. Audessus de la grande porte de laque rouge, au fond, une inscription s'étalait sur un panneau blanc, en gros caractères bleus : « Parmi les fleurs, un printemps éternel. » Elle n'était pas signée, mais la calligraphie ressemblait étrangement à celle du Magistrat Lo.

Un individu à la forte carrure, au visage marqué de petite vérole, prit la lettre du juge Ti d'un air méfiant ; mais à peine eut-il aperçu au dos le grand sceau rouge du tribunal qu'il fit un salut obséquieux. Il conduisit le juge à une petite antichambre, par un passage à claire-voie bordé d'une balustrade sculptée laquée de rouge qui longeait un charmant jardin fleuri. Le juge Ti s'assit à une table à thé en bois de santal poli. Un moelleux tapis de laine bleu recouvrait le sol, et des tentures de brocart de même couleur, les murs. Des volutes d'ambre gris s'élevaient du brûle-parfum de porcelaine blanche posé sur une tablette murale en bois de rose ciselé. Par les portes coulissantes ouvertes, le juge ne pouvait apercevoir que le coin du bâtiment à étage qui faisait face au jardin. Le son grêle d'une cithare franchissait les écrans de lattis dorés qui fermaient le balcon. Les pensionnaires étaient déjà occupées à leurs cours de musique.

Une femme imposante en robe de damas brune entra, suivie d'une domestique à l'air grave, chargée d'un plateau à thé. Les mains croisées dans ses longues manches, la tenancière prononça un petit discours de bienvenue. Le juge Ti scruta son visage terreux aux joues pendantes, ses petits yeux sournois, et conclut qu'elle lui déplaisait fortement.

— L'intendant de la résidence est-il déjà passé ? lui demanda-t-il en coupant court à sa harangue.

La tenancière pria la servante de poser le plateau à thé sur la table et de les laisser seuls, après quoi elle dit, en arrangeant sa robe de sa grande main blanche :

— L'humble personne que je suis déplore sincèrement ce malheureux accident, Excellence. J'espère de tout cœur que cela n'a pas importuné l'honorable assemblée.

— Mon collègue s'est contenté de dire à ses

invités que la danseuse s'était blessée au pied. Pourriez-vous me montrer ses papiers ?

— Je savais que vous voudriez les voir, répondit-elle avec un sourire affecté.

La dame sortit de sa manche une liasse de documents qu'elle tendit au juge. Ce dernier vit au premier coup d'œil qu'il n'y avait rien de particulièrement intéressant. Petit Phénix était la plus jeune fille d'un marchand de légumes, vendue trois ans auparavant pour la simple raison qu'elle avait déjà quatre sœurs plus âgées qu'elle et que son père ne pouvait lui fournir de dot. L'établissement lui avait fait apprendre la danse, par les soins d'un maître réputé, ainsi que des rudiments de lecture et d'écriture.

— Etait-elle particulièrement amie avec un client ou une pensionnaire ? s'enquit le juge.

La tenancière lui versa cérémonieusement une tasse de thé.

— En ce qui concerne les messieurs qui fréquentent cet établissement, répondit-elle calmement, ils connaissent presque tous Petit Phénix. Ses talents de danseuse faisaient que l'on se disputait sa présence dans les réceptions. N'étant pas précisément belle, seuls quelques vieux messieurs, séduits sans aucun doute par son allure ambiguë d'éphèbe, sollicitaient ses faveurs. Elle s'y est toujours refusée, et j'ai évité d'exercer la moindre pression sur elle, car elle rapportait suffisamment à la maison en dansant. Elle fronça légèrement les sourcils et poursuivit :

— C'était une fille tranquille, qui n'a jamais eu besoin d'être corrigée et qui prenait très au sérieux ses cours de danse. Mais elle était détestée des autres filles ; elles disaient qu'elle... avait une mauvaise odeur et que c'était une femme-renarde. C'est une lourde tâche, Excellence, que de faire régner l'ordre parmi toutes ces jeunes femmes... Cela exige beaucoup de patience et un juste respect de...

— Elle ne s'est jamais trouvée impliquée dans quelque histoire de chantage ?

La dame leva les bras au ciel en signe de protestation.

— Je vous prie de m'excuser, Excellence ! s'exclama-t-elle en jetant au juge un regard réprobateur. Toutes mes filles savent que la première à oser tenter quoi que ce soit d'irrégulier serait fouettée sur-le-champ, Excellence ! Naturellement, elle acceptait les pourboires et... enfin, elle était très habile, semble-t-il, pour susciter la générosité, par... euh... des moyens variés, mais tous parfaitement honnêtes. Comme elle était obéissante, je lui ai donné l'autorisation d'aller voir de temps en temps l'étrange gardienne du Sanctuaire du Renard noir ; mais uniquement parce qu'elle apprenait à Petit Phénix des chansons intéressantes qui plaisaient beaucoup à nos clients. Toutes sortes de vagabonds rôdent aux abords de la Porte

Sud, Excellence, ajouta-t-elle les lèvres pincées. Il se peut qu'elle y ait fait une connaissance peu recommandable et que cette personne soit le coupable de ce crime odieux. On ne devrait jamais laisser les filles sans surveillance, voilà la leçon à en tirer ! Quand je pense à tout l'argent que j'ai investi en cours de danse et...

— En parlant de la gardienne du Sanctuaire, est-ce de votre établissement qu'elle s'est enfuie autrefois ?

— Absolument pas, Excellence ! Cette fille avait été vendue à un petit établissement, près de la Porte Est. Une maison de très basse catégorie, fréquentée par des coolies et autres vauriens ; un... un bordel, Excellence, si je puis me permettre.

— Je vois. Est-il arrivé à Petit Phénix de dire que la gardienne du Sanctuaire n'était pas orpheline et que son père habitait toujours ici ?

— Jamais, Excellence. J'ai demandé un jour à la danseuse si la jeune femme recevait parfois des messieurs... des clients, mais elle m'a répondu qu'elle était la seule à se rendre au Sanctuaire.

— La poétesse Yo-lan a été grandement affectée par la mort de la danseuse. Y avait-il entre elles un sentiment particulier, d'un côté ou de l'autre ?

La dame baissa les yeux.

— L'honorable Yo-lan a été visiblement très impressionnée par le comportement réservé et la jeunesse de la danseuse, commença-t-elle par dire, avant de s'empresser d'ajouter : et par son grand talent, naturellement. Je suis très tolérante en ce qui concerne les amitiés entre femmes, Excellence. Et comme j'ai eu l'honneur de rencontrer autrefois la poétesse à la capitale...

La tenancière laissa sa phrase en suspens et haussa les épaules. Le juge Ti se leva et, se faisant reconduire jusqu'au portail, il remarqua négligemment :

— Son Excellence l'Académicien, l'honorable Chang Lan-po et le Révérend Lou ont été très déçus de ne pas avoir vu Petit Phénix. J'imagine qu'ils avaient déjà dû la voir danser...

— Cela me paraît hautement improbable, Excellence ! Ces deux illustres personnages honorent parfois ce district de leur visite, mais ne se mêlent jamais aux réceptions, qu'elles soient publiques ou privées. Le fait qu'ils aient accepté pour une fois l'invitation de Son Excellence Lo fait grand bruit en ville ! Mais le Magistrat Lo est un homme tellement merveilleux ! Il est toujours si bon et si compréhensif... Rappelez-moi le nom du religieux que vous venez de mentionner, Excellence...

— Aucune importance, au revoir.

De retour au tribunal, le juge Ti se fit annoncer par un employé au Magistrat Lo. Il trouva son collègue dans son cabinet particulier, debout devant la fenêtre, les mains derrière le dos.

— J'espère que vous avez bien dormi, Ti, dit-il d'un ton las en se retournant. Quant à moi, j'ai passé une nuit abominable. Une heure après minuit, je me suis glissé dans la grande chambre, pensant que j'avais toutes les chances d'y trouver le repos car ma Première Epouse se couche toujours de bonne heure. Mais elle était bel et bien réveillée et se disputait avec ma Troisième et ma Quatrième au pied de son lit ! Et ma Première me demanda de régler leur querelle. Finalement, j'ai dû suivre ma Quatrième qui m'a tenu réveillé encore une bonne heure en me racontant par le détail comment la dispute avait commencé ! (Désignant la grande enveloppe officielle posée sur son bureau, il ajouta d'un ton pathétique :) Un envoyé spécial de la Préfecture vous a apporté cette lettre. Si c'est une convocation du Préfet, je me jette à l'eau !

Le juge Ti ouvrit l'enveloppe. Il s'agissait d'une brève note officielle lui ordonnant de rejoindre son poste dans les plus brefs délais, sa présence auprès du Préfet n'étant plus nécessaire.

— Non. On m'ordonne de rentrer à Pou-yang. Il faudra que je parte demain matin au plus tard !

— A dieu ne plaise ! Eh bien, cela nous laisse toute la journée. Qu'avez-vous appris de la tenancière ?

— Des choses qui aggravent le cas de Yo-lan, Lo. Tout d'abord, la poétesse s'était effectivement éprise de la danseuse. Ensuite, aucun de vos trois invités ne s'est jamais rendu au Boudoir de Saphir et, d'après la tenancière, il est très improbable qu'ils aient rencontré la danseuse auparavant. Connaissez-vous les projets de nos hôtes pour cet après-midi ? demanda-t-il comme le petit magistrat hochait la tête d'un air morose.

— Nous devons nous retrouver à quatre heures dans la bibliothèque pour y lire et discuter mon dernier ouvrage poétique. Quand je pense avec quelle impatience j'attendais ce moment !

— Croyez-vous que les hommes de votre intendant seraient capables de suivre l'un de vos invités, s'il s'absentait après le riz de midi ?

— Juste ciel, Ti ! Vous voulez les faire suivre ? Eh bien, ajouta-t-il en haussant les épaules avec résignation, de toute façon ma carrière est probablement ruinée. Je pense pouvoir prendre ce risque.

— Parfait. Je désire également que vous donniez l'ordre au sergent de garde à la Porte Sud de poster deux soldats armés dans l'une des échoppes situées en face de la friche, pour en surveiller l'entrée. Qu'ils arrêtent quiconque voudrait se rendre au Sanctuaire du Renard Noir. Je ne voudrais pas qu'il arrive quoi que ce soit de fâcheux à la malheureuse enfant qui s'y trouve, et j'aurais peut-être besoin de ces hommes quand j'irai moi-même là-bas cet après-midi. Où sont vos invités en ce moment ?

— Ils prennent leur petit déjeuner. Yo-lan est avec ma Première Epouse. Cela me laisse le temps de vous emmener aux archives du tribunal, Ti !

Il frappa dans ses mains et, dès l'entrée du chef des sbires, il lui donna l'ordre de se rendre en personne à la Porte Sud et de prévenir le sergent de la garde. En sortant de son cabinet, il informa le conseiller Kao qu'il avait besoin de lui aux archives.

Le magistrat conduisit le juge par un dédale de couloirs jusqu'à une pièce fraîche et spacieuse. Les murs étaient couverts, du sol au plafond à caissons, de larges étagères, chargées de boîtes d'archives en cuir rouge, de grands registres et de dossiers. Il y flottait une plaisante odeur où se mêlait la cire dont on astiquait les boîtes et le camphre que l'on répandait dans les papiers pour en éloigner les insectes. Un vieil employé classait des papiers, installé à un bout de l'immense table à tréteaux, au centre de la pièce. Penché sur un dossier, Frère Lou était assis à l'autre extrémité.

XIV

Une étrange rencontre
a lieu aux archives ;
l'Année du Chien dévoile ses secrets.

Le gros fossoyeur avait à présent revêtu une robe de bure brune, retenue à l'épaule gauche par une agrafe rouillée. Il reçut d'un air grave les salutations des deux magistrats et écouta en silence Lo le remercier chaleureusement pour l'inscription qu'il avait tracée la veille. Puis il tapota de son gros index le dossier placé devant lui et déclara d'une voix rauque :

— Je suis venu lire ce qui concerne la révolte paysanne qui a eu lieu il y a deux cents ans. Il y a eu un massacre à la Porte Sud. Si tous ceux qui furent alors passés par les armes étaient encore dans le secteur, il vous serait impossible de vous frayer un chemin pour passer ! Vous avez besoin de ce dossier-là, Lo ?

— Non, je suis simplement venu chercher un document.

Le fossoyeur posa sur lui son regard de batracien.

— Ah bon ? Eh bien, si vous ne le trouvez

pas, il ne vous reste plus qu'à fermer cette pièce et à brûler un bâtonnet d'encens sur l'Autel du Renard. A votre retour, vous trouverez le dossier que vous cherchiez, dépassant quelque peu des autres sur l'étagère. L'esprit renard peut venir au secours des fonctionnaires, à l'occasion. (Il referma le dossier et se leva.) N'est-il pas l'heure d'aller voir l'Autel de la Lune ?

— Je vous y conduis tout de suite ! J'espère que vous nous y rejoindrez plus tard, Ti. Ah, voilà mon conseiller ! Aidez donc mon collègue à s'y retrouver dans tous ces dossiers, Kao !

Lo sortit, après avoir respectueusement ouvert la porte devant le fossoyeur.

— Que puis-je faire pour vous, Excellence ? s'enquit Kao d'une voix claire et nette.

— J'ai entendu dire qu'il s'est produit ici, lors de l'Année du Chien, un meurtre qui n'a pas été élucidé, Monsieur Kao. J'aimerais jeter un coup d'œil à ce dossier.

— L'Année du Chien est restée célèbre à cause de la conspiration du Neuvième Prince, Excellence ! Mais un meurtre inexpliqué, non, je ne me rappelle pas avoir rien lu à ce sujet. Peut-être que le vieux là-bas en sait quelque chose. Il est d'ici ! Hé, Liou ! Vous avez entendu parler d'une histoire de meurtre non élucidé pendant l'Année du Chien ?

Le vieil employé réfléchit tout en se passant les doigts dans sa maigre barbe.

— Non, Monsieur Kao. Ce fut une mauvaise

année pour nous, à Chin-houa, avec la trahison du général Mo Te-ling. Mais pas de meurtre non élucidé, non, je ne vois pas.

— Je connais l'affaire du général Mo, remarqua le juge Ti. Il s'était rallié à la rébellion du Neuvième Prince, n'est-ce pas ?

— Oui, exactement, Excellence. Tous les documents se trouvent dans cette grande boîte rouge, là-haut sur la cinquième étagère, à droite. La liasse d'à côté concerne toutes les autres affaires judiciaires de cette même année.

— Descendons tout sur la table, Monsieur Kao.

Le vieil archiviste plaça l'escabeau contre les étagères et tendit les dossiers les uns après les autres au conseiller qui les disposa par ordre chronologique sur la table. A mesure que la rangée s'allongeait, le juge réalisa l'ampleur de sa tâche. Ce n'était pas forcément d'un meurtre non élucidé qu'il s'agissait naturellement. L'affaire avait très bien pu sembler résolue avec la condamnation d'un innocent. L'accusateur était ainsi en pratique le meurtrier de l'homme exécuté.

— Vos archives sont parfaitement tenues, Monsieur Kao, remarqua le juge. Il n'y a pas le moindre grain de poussière !

— Je fais descendre tous les dossiers une fois par mois, Excellence, expliqua le conseiller avec un sourire de satisfaction. Les boîtes sont alors cirées et les documents aérés, ce qui évite en même temps les insectes !

Le juge pensa que, dans ce cas précis, il était vraiment regrettable que les archives aient été aussi propres. Si ces vieux dossiers tout en haut des étagères avaient été couverts de poussière, il aurait pu voir aux traces de doigts ceux qu'avait consultés le candidat Song.

— Le candidat assassiné travaillait ici, à cette table, je suppose ?

— Oui, Excellence. Les dossiers rangés sur l'étagère du bas concernent la révolte paysanne qui intéressait Song. C'était un jeune homme très intelligent, Excellence, qui s'intéressait énormément aux questions administratives. Je l'ai souvent vu en train de consulter des dossiers plus récents. Un chercheur des plus sérieux ; il n'a jamais essayé de me retenir pour bavarder un moment. Enfin, voilà, vous avez tout, Excellence.

— Je vous remercie. Je ne vous retiendrai pas, Monsieur Kao. Si j'ai besoin d'un document quelconque, je m'adresserai au vieil archiviste.

Quand le conseiller eut pris congé, le juge Ti s'installa à la table et ouvrit le premier dossier, tandis que le vieillard retournait classer ses papiers, à l'autre bout de la table. Le juge ne tarda pas à être submergé par une multitude d'affaires diverses. Une ou deux d'entre elles soulevaient des problèmes intéressants, mais aucune ne laissait supposer d'erreur judiciaire et

Le juge Ti consulte les archives

le nom de Song n'apparut qu'une seule fois, comme étant celui d'un accusé dans une affaire de fraude mineure. Au moment où un jeune employé lui apporta du thé, il apprit à sa grande surprise qu'il était presque une heure après midi. L'employé lui fit également savoir que le magistrat se trouvait toujours dans la quatrième cour, en compagnie de ses invités. Le repas de midi allait être servi sur place, semblait-il.

Poussant un soupir, le juge décida de s'attaquer à la boîte d'archives concernant la haute trahison du général Mo : un homme décrété coupable de crime contre l'Etat avait été exécuté ainsi que tous ses complices, et il n'était pas impossible que l'un d'entre eux ait été accusé à tort.

A peine eut-il ouvert la boîte qu'un léger sourire de satisfaction se dessina sur ses lèvres. Les chemises avaient été rangées sans soin dans la boîte, et en désordre. Etant donné l'excellente tenue de ces archives, c'était le signe évident qu'il était sur la bonne voie. Le candidat avait visiblement consulté ce dossier et rangé les chemises à la hâte en entendant quelqu'un entrer. Le juge les disposa soigneusement sur la table, en suivant l'ordre selon lequel elles étaient numérotées.

La première contenait un résumé de l'accusation contre le Neuvième Prince. Il y était suggéré, en termes voilés, que ce dernier était d'un caractère instable : d'une suspicion morbide, sujet à des crises de profondes dépressions, jaloux et querelleur. Après qu'il eut tué un courtisan dans un accès de colère, l'Empereur le relégua au palais de Chin-houa, espérant qu'une vie saine aurait un effet bénéfique sur son fils. Mais le prince s'était mis à ressasser des offenses imaginaires. Ses courtisans flagorneurs lui répétaient sans cesse qu'il était le prince préféré de la nation, et, poussé par une épouse consorte ambitieuse et autoritaire, il finit par concevoir l'extravagant projet de fomenter une révolte et d'usurper le Trône du Dragon. Alors qu'il essayait de gagner à sa cause certains fonctionnaires civils et militaires mécontents, le maladroit complot fut éventé. L'Empereur dépêcha à Chin-houa un Censeur investi des pleins pouvoirs exécutifs, accompagné par un régiment de la Garde impériale. Les gardes encerclèrent le palais, et le Censeur convoqua le Prince et la Consorte pour les interroger. Il dit au Prince que l'Empereur était au courant de tout, mais qu'il était prêt à le pardonner à condition qu'il ordonnât à ses gardes du corps de rendre les armes et que le couple rentrât sur-le-champ à la capitale. Le Prince tira son épée et tua la Consorte avant de se trancher la gorge. Les gardes envahirent le palais et arrêtèrent tout le monde, tandis que le Censeur confisquait tous les documents. Cela se passait le quatrième jour du second mois, il y avait dix-huit ans de cela.

Le Censeur ouvrit une enquête le jour même.

Tous les courtisans ayant eu connaissance du complot ainsi que les divers complices du Prince furent exécutés sommairement. Car si l'Empereur avait eu l'intention de pardonner son crime au Prince, compte tenu de son esprit dérangé, les autres conspirateurs n'avaient quant à eux aucune excuse. Au cours des jours qui suivirent, un bon nombre de fausses accusations furent portées : des gens malveillants profitèrent de l'occasion pour se débarrasser d'ennemis personnels, phénomène très courant dans les affaires aux vastes ramifications. Le Censeur examina scrupuleusement ces accusations, pour la plupart anonymes. Il y avait entre autres une longue lettre non signée établissant la participation du général Mo Te-ling au complot et révélant qu'une correspondance accablante entre Mo et le Neuvième Prince était cachée dans les appartements des femmes du général. Le Censeur fit donc fouiller la demeure et les lettres furent effectivement découvertes à l'endroit indiqué. Le général fut arrêté et inculpé de haute trahison. Il nia catégoriquement tout ce dont on l'accusait, assurant que les lettres avaient été fabriquées de toutes pièces et introduites chez lui par un de ses vieux ennemis. Mais le Censeur savait que le général Mo, dépité de ne pas avoir pu bénéficier d'une promotion, avait quitté l'armée pour se retirer dans son district natal de Chin-houa, où il ruminait cette injustice. D'anciens associés du général avaient témoigné qu'il leur avait souvent parlé de changements imminents qui allaient enfin permettre à tous les individus capables de recevoir leur dû. Le Censeur analysa méticuleusement les lettres et les déclara parfaitement authentiques. Le général fut condamné et exécuté ainsi que ses deux fils aînés, comme l'exigeait l'impitoyable loi sur la haute trahison. Tous ses biens furent confisqués par l'Etat.

Le juge Ti se carra sur son siège. C'était une histoire fascinante, rendue encore plus réelle et présente aux yeux du juge par le fait que ce procès retentissant avait eu lieu dans ce même tribunal. Le juge prit le dossier où se trouvaient la liste des membres de la maisonnée du général et celle des biens qui lui avaient été confisqués. Tout à coup, il eut le souffle coupé. Le général avait eu trois épouses et deux concubines : le nom de famille de la seconde concubine était Song. Il n'y avait pas d'autres renseignements sur son compte, car elle n'avait pas été interrogée : elle s'était pendue le troisième jour du deuxième mois, la veille de l'arrivée du Censeur à Chin-houa. Elle avait donné au général un fils, nommé Aï-ouen, qui avait cinq ans au moment où ce drame frappa la famille Mo. Tout concordait ! C'était enfin la piste qu'il espérait découvrir ! Un sourire de satisfaction éclaira le visage du juge Ti.

Pourtant, ce sourire se figea brusquement. Le candidat était venu venger son père. Cela signifiait donc que Song avait découvert la preuve de l'innocence du général Mo, qu'il soupçonnait l'auteur de la lettre anonyme d'avoir introduit lui-même la correspondance accusatrice et qu'il le considérait en conséquence comme le meurtrier de son père. Et le fait que cet inconnu ait assassiné le candidat constituait la preuve irréfutable que ce dernier avait vu juste. Quelle monstrueuse erreur judiciaire avait été commise dix-huit ans plus tôt !

Le juge prit le dossier contenant les audiences du procès. Il les parcourut tout en tiraillant lentement ses favoris. Un seul point plaidait en faveur du général Mo : aucun des autres conspirateurs ne savait que le Neuvième Prince avait rallié le général à sa cause. Mais le Censeur n'avait pas tenu compte de cet élément sous prétexte que le Neuvième Prince, étant extrêmement soupçonneux, se défiait de ses propres partisans. La condamnation reposait exclusivement sur les lettres découvertes chez le général. Elles étaient écrites de la main du Prince, sur son papier à lettres, et son sceau personnel y était apposé.

Le juge sortit le texte de la lettre anonyme. C'était une copie de scribe, à l'écriture banale, tous les documents originaux ayant été envoyés à la capitale. Mais à en juger par le style irréprochable, elle avait dû être écrite par un homme de lettres accompli. La copie d'une annotation du Censeur figurait dans la marge :

« Cette lettre émane probablement d'un courtisan aigri. Vérifiez le contenu et l'écriture immédiatement. » A la lecture du document suivant, le juge Ti apprit qu'en dépit de leurs efforts, les hommes du Censeur n'avaient pas réussi à identifier l'auteur de la lettre. Le gouverneur avait fait proclamer qu'une substantielle récompense lui était promise, mais personne n'était venu la réclamer.

Tout en caressant lentement sa longue barbe, le juge réfléchit à l'affaire. D'une part, il était impossible de fabriquer de fausses lettres du Neuvième Prince, authentifiées par le sceau personnel dont il ne se séparait jamais. D'autre part, le Censeur avait la réputation d'être un homme intègre, d'une extrême perspicacité en matière d'affaires criminelles ; il avait brillamment résolu quelques affaires épineuses où étaient impliqués des personnages haut placés. Le juge Ti se rappela que son père, alors Conseiller d'Etat, avait parfois évoqué ces affaires en faisant l'éloge de la clairvoyance du Censeur. Puisqu'il avait jugé le général coupable, il devait être absolument sûr de son cas. Le juge se leva et se mit à arpenter la pièce de long en large.

Quelle nouvelle preuve avait bien pu découvrir le candidat Song ? Il n'avait que cinq ans lors du scandale, il ne pouvait donc s'agir que d'un ouï-dire ou d'un document écrit. Comment retrouver la trace de ce que Song avait découvert ? Le candidat avait été assassiné et l'assassin avait subtilisé le document que Song cachait chez lui. La première chose à faire, pensa le juge, était de prendre contact avec la famille de la mère de Song. Il fit signe au vieil employé.

— Y a-t-il beaucoup de familles du nom de Song à Chin-houa ? lui demanda-t-il.

Le vieillard hocha pesamment la tête.

— Un grand nombre, Excellence. Des riches, des pauvres, parents ou pas. Dans l'ancien temps, cette contrée s'appelait Song, voyez-vous.

— Donnez-moi le Registre des Impôts de l'Année du Chien, mais uniquement celui qui concerne les familles Song.

Quand le vieil homme eut déposé un registre ouvert sur la table, le juge consulta la section des Song aux revenus les plus bas. La mère de Song n'ayant été que seconde concubine, son père avait dû être fermier, petit boutiquier ou artisan. Il n'y avait qu'une demi-douzaine de noms. Le troisième était celui de Song Wen-ta, propriétaire d'un magasin de légumes, ayant une épouse et des filles ; l'aînée avait épousé un quincaillier du nom de Houang, la plus jeune avait été vendue comme seconde concubine au général Mo.

— Vérifiez, je vous prie, dans le Registre de la Population de cette année si Monsieur Song est toujours en vie, dit le juge Ti en posant le doigt sur le nom.

Le vieil employé se dirigea vers les étagères et revint les bras chargés de gros rouleaux. Il en déroula quelques-uns et vérifia les premiers noms de la liste, tout en marmottant dans sa barbe : « Song Wen-ta... Song Wen-ta... » Enfin il releva les yeux et hocha la tête.

— Son épouse et lui-même ont dû mourir sans laisser de descendance mâle, Excellence, car il n'existe plus personne de la famille Song sur mes registres. Désirez-vous savoir en quelle année ils sont morts, Excellence ?

— Non, ce n'est pas nécessaire. Donnez-moi la liste des membres de la Guilde des Quincailliers !

Le juge se leva, c'était sa dernière chance.

Le vieillard ouvrit une grande boîte marquée « Guildes mineures ». Il en sortit une mince brochure qu'il tendit au juge. Tandis que l'archiviste rangeait les rouleaux du Registre de la Population, le juge la feuilleta. Il y avait bien un quincaillier nommé Houang, marié à une femme du nom de Song. Le nom était marqué d'un petit cercle dans la marge, indiquant que Houang avait du retard dans le paiement de ses cotisations. Il vivait près de la Porte Est. Le juge apprit l'adresse par cœur puis jeta la brochure sur la table avec un sourire de satisfaction.

En étudiant le dossier concernant le foyer Mo, il eut la confirmation que toute la famille du général s'était dispersée après l'exécution de ce dernier. Le fils de la concubine défunte, Song

Aï-ouen, avait été adopté par un oncle éloigné, vivant à la capitale. Le juge sortit de la liasse la lettre anonyme qui dénonçait le général et la glissa dans sa manche. Il remercia le vieil employé et lui demanda de ranger les dossiers, puis s'en fut vers la résidence.

Aux abords de la quatrième cour, le juge fut accueilli par les cris et les rires des enfants. C'était un spectacle charmant : une douzaine d'enfants, en costumes éclatants, s'ébattaient aux alentours de l'Autel de la Lune, érigé au centre de la cour pavée. A hauteur d'homme, trônait la forme blanche du Lapin Lunaire aux longues oreilles, modelé en pâte à pain et juché sur un tas de petits gâteaux-lunes, tout ronds et truffés de haricots sucrés. Le pied de l'autel était envahi par les plats et les bols remplis à ras bord de fruits frais et de confiseries ; de grandes bougies rouges et des brûle-parfums de bronze, destinés à être allumés à la tombée de la nuit, étaient disposés aux quatre coins.

Le juge traversa la cour pour se diriger vers une grande terrasse de marbre d'où un petit groupe contemplait la scène : le poète de cour et Frère Lou, accoudés à la balustrade de marbre, Lo, l'Académicien et, derrière eux, la poétesse, à côté d'un vaste fauteuil en ébène sculptée, disposé sur une estrade peu élevée. Une dame âgée et frêle, vêtue d'une longue robe noire, les cheveux, blancs, tirés en arrière, y avait pris place, et tenait entre ses doigts ridés une canne d'ébène au pommeau de jade vert. Derrière le fauteuil se tenait une grande et belle femme d'âge moyen, très raide et droite dans une robe de soie ajustée, rehaussée de broderies vertes. Il s'agissait sans doute de la Première Epouse du magistrat. La vingtaine de femmes qui allaient et venaient dans la salle obscure, derrière elle, étaient probablement les autres épouses de Lo et leurs suivantes.

Ignorant tout le monde, le juge se dirigea droit vers la vieille dame et lui fit un profond salut. Tandis qu'elle l'examinait d'un œil vif, Lo se pencha vers elle et lui dit tout bas :

— Je vous présente mon collègue, Ti, de Pou-yang, Mère.

La vieille dame hocha la tête et souhaita la bienvenue au juge d'une voix douce mais étonnamment claire. Il s'enquit respectueusement de son âge : elle avait soixante-douze ans, apprit-il.

— J'ai dix-sept petits-enfants, Magistrat ! lui annonça-t-elle fièrement.

— Une nombreuse descendance est la bénédiction des foyers vertueux, Madame ! remarqua l'Académicien d'une voix sonore.

La vieille dame secoua la tête avec un sourire de ravissement. Le juge Ti salua Chao, puis présenta ses respects au poète de cour et à Frère Lou. Enfin, il s'enquit de la santé de la poétesse. Elle se portait bien, lui répondit-elle, grâce aux soins de la Première Epouse du magistrat. Le juge la trouva néanmoins pâle et les traits tirés.

— Le candidat Song était le fils du général Mo Te-ling et d'une concubine officielle du nom de Song, confia-t-il à voix basse à son collègue qu'il avait pris à part. Il est venu ici pour faire la preuve de l'innocence de son père, ainsi qu'il l'a d'ailleurs dit à Safran. Il a gardé son vrai nom car il a quitté Chin-houa à cinq ans et il ne lui reste qu'une tante. Courage, Lo ! Bien qu'il semble que la poétesse ait effectivement assassiné la danseuse, si vous pouvez annoncer en même temps que le général Mo a été exécuté à tort, vous avez une chance de vous sortir de ce mauvais pas !

— Auguste ciel, Ti, quelles bonnes nouvelles ! Vous m'en direz davantage lorsque nous serons à table. Le repas sera servi en plein air, là-bas !

Lo montra du doigt le passage à claire-voie qui longeait le fond de la terrasse. Entre les colonnes, on avait dressé des tables, couvertes de plats froids, alternant avec des montagnes de gâteaux-lunes, artistement disposés en pyramides.

— Il faut que je parte, Lo. Je dois aller voir quelqu'un en ville, puis j'irai au Sanctuaire du Renard noir. Mais j'essayerai d'être rentré à quatre heures pour votre petite réunion poétique.

Dès qu'ils eurent rejoint le reste des convives, la vieille dame émit le désir de se retirer. L'Académicien la salua, aussitôt imité par les autres invités, puis Lo et sa Première Epouse la reconduisirent à l'intérieur. Le juge expliqua à l'Académicien qu'il avait reçu un message important de Pou-yang et le pria de l'excuser de ne point assister au repas.

— Les affaires avant le plaisir... Vous baissez, Ti !

XV

Le juge Ti se rend
chez des quincailliers ;
il déguste du canard
en leur compagnie.

Le juge Ti s'arrêta tout d'abord dans ses appartements : il devait préparer soigneusement sa visite. Les parents d'un homme exécuté pour haute trahison, quel que soit le degré de parenté, gardent une peur extrême des autorités. Même après de longues années, de nombreux éléments peuvent apparaître, les entraînant dans des complications funestes. Le juge sortit de son nécessaire à écrire une bande de papier rouge où il écrivit en gros caractères : SONG LIANG. Il ajouta à droite « Représentant » et à gauche une adresse fictive à Canton. Après s'être changé pour revêtir une simple robe de coton bleu, et avoir mis un petit bonnet noir, il quitta le tribunal par la porte latérale.

Il trouva une petite litière à louer au coin de la rue. Quand il eut ordonné aux porteurs de le conduire à la quincaillerie de Houang, ils protestèrent d'abord, prétextant que c'était trop loin et dans un quartier où les rues étaient peu praticables. Toutefois, comme le juge ne chercha pas à marchander et ajouta même par avance un généreux pourboire, ils se mirent allégrement en route.

L'allure prospère des boutiques de la grand-rue rappela au juge que Houang n'avait toujours pas payé ses cotisations à la Guilde : il devait donc être fort démuni. Après avoir demandé aux porteurs de s'arrêter un instant, il fit l'achat, pour une pièce d'argent, d'une bonne coupe du meilleur coton bleu. A la boutique voisine, il acheta deux canards fumés et une boîte de gâteaux-lunes, après quoi il se remit en route.

Une fois le marché dépassé, ils traversèrent un quartier résidentiel que le juge reconnut pour être celui où habitait Meng. Puis ils arrivèrent dans une zone misérable, sillonnée de ruelles mal pavées, étroites et malodorantes. Les enfants en haillons qui jouaient parmi les détritus s'arrêtèrent bouche bée pour contempler la litière, véhicule qu'ils avaient rarement l'occasion de voir dans ces parages. Peu désireux d'attirer l'attention sur lui, le juge ordonna aux porteurs de l'arrêter devant une petite maison de thé. L'un d'eux attendrait près de la litière, tandis que l'autre le suivrait à pied en portant la pièce de tissu et le panier contenant les canards. Le juge se félicita de cette idée car ils ne tardèrent pas à se retrouver dans un dédale de ruelles sinueuses où le porteur dut demander plus d'une fois son chemin dans le dialecte local.

La boutique de Houang n'était qu'une simple échoppe en plein air dont la toile de bâche rapiécée était attachée à une misérable remise en pisé. Une rangée de poteries bon marché était suspendue à une barre, au-dessus d'une table à tréteaux chargée de plats et de bols. Derrière ce comptoir de fortune, un homme déguenillé enfilait laborieusement une douzaine de sapèques sur une ficelle. Quand le juge Ti eut posé la carte de visite rouge sur le comptoir, l'homme secoua la tête.

— Je ne peux que lire « Song », déclara-t-il d'un ton mauvais. Que désirez-vous ?

— Je m'appelle Song Liang et suis un représentant de Canton, expliqua le juge. Je suis un cousin éloigné de votre épouse. Je voulais vous faire une petite visite avant de rentrer à la capitale.

Le visage renfrogné de Houang s'éclaira puis, se retournant vers la femme occupée à coudre sur un banc contre le mur, il s'écria :

— On dirait qu'un de tes parents a fini par se souvenir de ton existence, femme ! C'est le cousin Song Liang, de Canton ! Donnez-vous la peine d'entrer, Monsieur, vous avez fait un long voyage !

La femme se leva prestement, tandis que le juge ordonnait au porteur de lui remettre ce qu'il venait d'acheter et d'aller l'attendre dans l'échoppe d'en face.

Le quincaillier introduisit le juge dans une

petite pièce qui leur servait à la fois de chambre, de salle de séjour et de cuisine. Pendant que Houang s'empressait de passer un chiffon sur la table graisseuse, le juge s'assit sur un tabouret de bambou et s'adressa à la femme.

— J'ai reçu de la capitale une lettre de mon troisième oncle m'apprenant la mort de vos parents, cousine, et me donnant votre adresse. Comme je passais par Chin-houa, j'ai eu l'idée de m'arrêter chez vous pour vous faire quelques petits cadeaux, en ce jour de fête.

Elle avait ouvert le paquet et regardait avec des yeux ronds la pièce de tissu. Elle pouvait avoir une quarantaine d'années environ. Elle avait un visage régulier, mais maigre et très ridé.

— Vous êtes beaucoup trop généreux, cousin ! s'exclama Houang interloqué. Auguste ciel, tout ce beau tissu ! Comment pourrais-je jamais vous remercier en retour pour ce coûteux...

— C'est très simple ! En permettant à un voyageur solitaire de partager ce repas de fête avec ses proches ! J'ai apporté pour ma part une modeste contribution.

Le juge souleva un des rabats du panier et donna à Houang la boîte de gâteaux-lunes. Le quincaillier ne parvenait pas à détacher son regard du contenu du panier.

— Deux canards entiers ! Découpe-les soigneusement, femme ! Et va chercher dans l'échoppe un bol neuf et des coupes ! J'avais mis de côté une petite jarre de vin pour la fête d'aujourd'hui, mais jamais je n'aurais imaginé pouvoir l'accompagner d'un repas ! Et encore moins d'un tel canard fumé !

Il versa une tasse de thé au juge puis lui posa quelques questions polies sur sa famille restée à Canton, sur son travail et le voyage qu'il venait de faire. Le juge Ti lui raconta une histoire convaincante, en précisant qu'il devait repartir l'après-midi même.

— Nous allons manger un canard maintenant, annonça-t-il, et vous garderez l'autre pour ce soir.

— Entre maintenant et ce soir, le ciel et les hommes peuvent nous réserver bien des malheurs, cousin, déclara gravement le quincaillier. Nous allons manger à satiété sans rien laisser pour plus tard !

Puis il se tourna vers sa femme qui avait écouté la conversation, un sourire béat illuminant son visage usé par les privations.

— Je te promets, femme, que jamais plus la moindre mauvaise parole à l'égard de ta famille ne franchira mes lèvres !

La femme regarda le juge d'un air contrit.

— Depuis cette terrible histoire, cousin, expliqua-t-elle, personne n'a jamais plus osé venir nous voir.

— On en a parlé jusque dans le Sud, remarqua le juge. Il est navrant que votre sœur ait mis fin à ses jours avant le drame, mais si l'on considère cela d'un point de vue plus général, dans l'intérêt de notre famille, c'était probablement préférable. Cela nous a évité d'être mêlés à cette affaire.

Houang et son épouse hochèrent la tête d'un air entendu.

— Et qu'est devenu Aï-ouen ? demanda le juge.

— Aï-ouen ? répéta Houang. J'ai entendu dire il y a deux ans de ça qu'il était devenu un lettré. Trop prétentieux pour se souvenir de sa tante !

— Pourquoi votre sœur s'est-elle suicidée, cousine ? Etait-elle mal traitée chez le général ?

— Non, pas du tout, répondit lentement la femme. Elle était bien traitée, surtout après la naissance d'Aï-ouen, un joli petit garçon très vigoureux. Mais ma sœur était...

— C'était une satanée... commença Houang, aussitôt interrompu par son épouse.

— Fais attention à ce que tu dis !

Et, s'adressant au juge, elle reprit :

— Elle n'y pouvait rien, vous savez. Peut-être était-ce la faute de Père, après tout...

La femme remplit les coupes en poussant un soupir.

— C'était une fille très calme et obéissante jusqu'à l'âge de quinze ans ; elle adorait les animaux. Un jour, elle a ramené à la maison un renardeau. Quand mon père s'en aperçut, il eut horriblement peur, car il était noir : c'était une petite renarde. Il l'a tuée sur-le-champ. Ma sœur en a fait une crise, et depuis, elle n'a plus jamais été la même.

Le quincaillier jeta un regard gêné au juge.

— L'esprit de cette renarde a pris possession d'elle.

— Père a fait venir un prêtre taoïste, reprit la femme. Mais malgré ses imprécations, il n'a pas réussi à chasser l'esprit de la renarde. A seize ans, elle aguichait tous les jeunes gens qu'elle croisait. Comme elle était jolie, maman fut obligée de la surveiller du matin au soir. Et puis un beau jour, une vieille femme qui vendait des peignes et des cosmétiques apprit à Père que la Première Epouse du général Mo cherchait une concubine pour le vieux maître. Père en fut très heureux, et dès que ma sœur eut été présentée à la Première Epouse et acceptée, l'affaire fut conclue. Tout se passait bien ; elle devait travailler dur à la grande maison, mais la Première Epouse lui offrait une nouvelle robe à chaque fête, et après la naissance d'Aï-ouen, on ne la battit plus une seule fois.

— C'est elle qui a tout gâché, la salope, maugréa Houang avant de vider précipitamment sa coupe.

— Un jour, poursuivit son épouse en écartant de son front une mèche de cheveux gris, j'ai rencontré au marché la servante de la Première Epouse. Elle m'a dit que j'avais de la chance d'avoir une sœur qui n'oubliait pas sa famille et qui insistait même pour aller voir ses parents une fois par semaine. J'ai aussitôt compris qu'il y avait une terrible méprise, car ma sœur n'était pas venue nous voir depuis au moins six mois. Mais ensuite, elle est venue : elle attendait un enfant qui n'était pas du général. Je l'ai emmenée chez une sage-femme qui lui a fait boire toutes sortes de choses, mais rien n'a marché. Elle donna naissance à une fille, dit au général qu'elle avait fait une fausse-couche et abandonna l'enfant dans la rue.

— Voilà ce qu'elle était ! s'écria rageusement Houang. Une femme-renarde cruelle et sans cœur !

— Elle était désolée d'avoir à faire une chose pareille ! protesta son épouse. Elle a donc emmailloté l'enfant dans un tissu brun des Indes pour qu'elle n'attrape pas froid, vous savez, ces tissus safran, très chers, que les bouddhistes utilisent pour... (Devant l'air interloqué du juge, elle s'empressa d'ajouter :) Je suis désolée, cousin, ce n'est pas une très belle histoire ! C'est déjà vieux, mais je continue à...

Et la femme se mit à pleurer.

— Allons, intervint le quincaillier en lui tapotant l'épaule, pas de larmes aujourd'hui. Nous n'avons pas d'enfant, comprenez-vous, précisa-t-il à l'adresse du juge. Ça la met toujours dans cet état d'en parler ! Enfin, bref, pour résumer, le vieux général découvrit tout. D'après un de ses porteurs, le vieux l'a menacée de lui trancher la tête de sa propre main, ainsi que celle du type ! Elle s'est pendue et le vieux général n'a pas eu le temps de couper la tête de son amant, car le lendemain même les soldats de l'Empereur sont arrivés et c'est à lui qu'ils ont coupé la tête ! Drôle de monde, cousin ! Buvons encore un coup. Hé, toi aussi, femme !

— Qui était son amant ? demanda le juge.

— Je ne l'ai jamais su, cousin, répondit la femme en séchant ses larmes. Elle m'a juste dit que c'était quelqu'un de très instruit qui entrait comme il voulait à la grande maison.

— Ravi de ne pas m'être trompé de sœur ! s'exclama Houang, le visage cramoisi. Ma vieille épouse travaille dur ; elle fait de la couture pour que nous puissions joindre les deux bouts, mais elle ne connaît rien de rien aux affaires des hommes, figurez-vous ! Elle voulait que j'arrête de payer mes cotisations à la Guilde ! J'ai dit non, va vendre tes vêtements d'hiver. Si un homme n'appartient à rien, ce n'est qu'un chien perdu ! Et j'ai eu raison, cousin, car cette belle pièce de tissu va nous habiller superbement pour des années ! C'est excellent aussi pour mon commerce, un homme bien habillé derrière le comptoir !

— Présentez-vous avec ma carte de visite demain à la porte de service de la résidence du Magistrat, cousine, dit le juge après avoir terminé son riz. J'ai fait des affaires avec l'intendant, et je vais veiller à ce que vous y soyez dorénavant chargée des travaux de couture.

Sur ces mots, le juge se leva. Houang et son épouse essayèrent de le retenir, mais il leur expliqua qu'il devait arriver à temps au bac.

Le porteur le reconduisit à la maison de thé où l'attendait la litière qui le ramena, perplexe, dans la grand-rue. Après avoir payé les porteurs au coin de la rue, il se dirigea d'un bon pas vers le tribunal. En lui ouvrant la porte, le portier lui apprit que le Magistrat se trouvait dans l'antichambre, au rez-de-chaussée du bâtiment principal. Apparemment, la petite réunion poétique n'avait pas encore commencé. Le juge gagna rapidement ses appartements.

Il sortit du tiroir le dossier concernant l'affaire de la poétesse. Debout à sa table, il le feuilleta jusqu'à ce qu'il ait retrouvé le texte de la lettre anonyme qui avait révélé au magistrat la présence d'un cadavre enterré au pied d'un cerisier, au Monastère du Héron blanc. Puis il sortit de sa manche la lettre dénonçant le général Mo et la posa à côté de l'autre. Il les compara tout en lissant sa barbe noire. Etant toutes deux des copies exécutées par des scribes aux écritures impersonnelles, seul le style pouvait lui apprendre si elles avaient été écrites par la même personne. Secouant la tête d'un air dubitatif, le juge glissa les deux feuilles dans sa manche et sortit pour se rendre dans la cour principale.

Un pinceau à la main, les lèvres serrées, le petit magistrat était assis à sa table à thé couverte de papiers. Il leva les yeux à l'entrée de son collègue et lui dit avec ardeur :

— Je suis en train de relire et de corriger mes travaux récents, Ti. Pensez-vous que l'Académicien va apprécier le rythme récurrent de cette ode ?

Le petit magistrat s'apprêtait à lui lire le poème qu'il était en train de corriger, quand le juge l'interrompit vivement :

— Une autre fois, Lo ! Je dois vous faire part d'une étrange découverte, déclara-t-il en s'asseyant en face de son collègue. Je serai bref, car je sais que vous devez vous rendre dans votre bibliothèque, il est près de quatre heures.

— Oh non, nous avons tout notre temps, frère-né-avant-moi ! Le déjeuner dans la quatrième cour s'est prolongé fort tard ; le poète de cour et Yo-lan ont écrit quelques poèmes et nous les avons discutés, en buvant force vin ! Mes quatre invités se sont tous retirés pour faire une sieste, et aucun n'a encore réapparu.

— Parfait ! Donc pas un ne s'est absenté et les hommes de votre intendant n'ont pas eu besoin de les suivre. Voici : la mère du candidat assassiné était une concubine du général Mo Teling. Elle s'est rendue coupable d'adultère avec un inconnu et a abandonné leur fille illégitime, qui n'est autre que Safran, la gardienne du Sanctuaire du Renard noir.

Devant l'air stupéfait de Lo, le juge leva la main et poursuivit :

— L'enfant abandonné avait été emmailloté dans un tissu safran, et en général les gens donnent aux orphelins un nom en relation avec les vêtements qu'ils portaient quand on les a découverts. Cela signifie que Safran est la demi-sœur de Song, et c'est la raison pour laquelle le candidat lui a dit qu'il ne pourrait jamais l'épouser. Cela signifie également que le père de Safran et l'assassin de Song ne sont qu'une seule et même personne. La veille de son arrestation, le vieux général avait dit à sa concubine qu'il avait découvert son adultère avec un de ses propres amis, et qu'il allait les tuer tous les deux de sa main. La concubine se pendit aussitôt et le général fut arrêté le lendemain, avant d'avoir pu en finir avec l'amant.

— Grands dieux, Ti ! Où avez-vous découvert tout ça ?

— Essentiellement dans vos archives. Le candidat Song était apparemment convaincu que l'amant de sa mère avait perfidement fait accuser le général de haute trahison afin de n'être pas lui-même accusé d'adultère. Song s'est trompé en ce qui concerne le premier point. J'ai lu le rapport officiel et je suis persuadé que le général était bien coupable. Mais l'amant de sa concubine devait faire aussi partie du complot. En ce qui concerne le second point, Song avait parfaitement raison. L'individu a écrit la lettre anonyme parce qu'il savait qu'il faudrait du temps au Censeur pour démasquer le général et désirait s'assurer que ce dernier serait bien arrêté le premier jour de l'enquête afin qu'il ne puisse rien tenter contre lui.

— Pas si vite, Ti ! s'exclama le Magistrat Lo en levant la main. Si le général était bien coupable de haute trahison, pourquoi son dénonciateur a-t-il tué le candidat ? Le bonhomme avait fait une action méritoire en dénonçant le général !

— Il doit occuper un poste élevé, Lo, et en conséquence ne peut tolérer que pèse sur lui une accusation d'adultère. En outre, il était gravement impliqué dans le complot du général, autrement il n'aurait pu savoir où étaient cachées les lettres du Neuvième Prince. C'est la raison pour laquelle il ne s'est pas présenté, malgré la récompense promise par le gouvernement.

— Juste ciel ! Mais qui donc est-ce, Ti ?

— Je crains que ce ne soit l'un de vos trois invités, Chao, Chang ou Lou. Non, inutile de protester ! J'en ai la preuve incontestable. Safran va nous dire de qui il s'agit. Bien que son père se soit caché le visage pour aller la voir, je gage qu'elle le reconnaîtra à la voix et à l'allure.

— Vous ne pensez pas sérieusement à Frère Lou, Ti ! Quelle femme voudrait jamais de lui comme amant ?

— Je ne serais pas aussi catégorique que vous, Lo. La mère du candidat était une femme perverse. D'après sa famille, elle était possédée par l'esprit d'une renarde noire. Quoi qu'il en soit, une femme perverse et frustrée — elle avait à peine dix-sept ans quand elle est entrée chez le général, qui, lui, approchait de la soixantaine — peut fort bien avoir été séduite par le fossoyeur, précisément à cause de sa laideur. Par ailleurs, il a une très forte personnalité, autoritaire, et de nombreuses femmes sont sensibles à ce genre d'hommes. Lors de la réunion poétique, vous pourriez peut-être essayer de savoir si Chang et le fossoyeur se trouvaient à Chin-houa au moment du procès du général Mo. Nous savons déjà que l'Académicien y était, en tant que préfet de cette région. Pourriez-vous faire appeler votre intendant, Lo ?

Le magistrat frappa dans ses mains et donna un ordre à son domestique.

— J'aimerais également, Lo, reprit le juge Ti, que vous cherchiez à savoir si l'un de nos trois suspects se trouvait dans la région des lacs ce printemps dernier, à l'époque de l'arrestation de Yo-lan, au Monastère du Héron blanc.

— En quoi cela vous intéresse-t-il, Ti ? s'étonna le magistrat Lo.

— Parce que dans l'affaire de Yo-lan, les autorités se sont également déplacées sur la foi d'une lettre anonyme, écrite par un lettré. Et un criminel s'en tient toujours à une seule et même méthode. Dans le cas de la trahison du général Mo, l'accusation s'est révélée exacte ; mais en le dénonçant, l'auteur de la lettre anonyme réalisait en même temps un autre objectif, à savoir empêcher le général d'entreprendre quelque chose contre lui. Aujourd'hui, dix-huit ans plus tard, ce même lettré peut fort bien de nouveau avoir eu recours à la lettre anonyme pour dénoncer un autre crime : celui de la servante, mais encore une fois sans que cela soit son véritable but. C'est pourquoi...

Le juge se tut en voyant entrer l'intendant. Il prit le pinceau des mains de Lo et nota sur un morceau de papier le nom et l'adresse du quincaillier Houang, ainsi que celui de Song Liang.

— Madame Houang se présentera demain matin à l'entrée de service de la résidence, avec une carte de visite au nom de Song Liang, dit-il à l'intendant en lui donnant le papier. Son Excellence désire que vous lui confiiez les travaux de couture de la maison. Retenez-la un moment, car il se peut que nous ayons besoin de la voir. Maintenant, appelez le Conseiller Kao.

A peine l'intendant eut-il disparu que Lo demanda avec humeur :

— Vous avez dit Song Liang ? Mais qui donc est-ce ?

— Eh bien, il se trouve que c'est moi, répondit le juge avant de relater en quelques mots à son collègue sa visite chez le quincaillier. Ce sont des gens très corrects, conclut-il, et ils n'ont pas d'enfants. J'avais l'intention de vous proposer de leur confier Safran, une fois la malheureuse complètement rétablie. A présent, il faut que j'aille la chercher, avec votre conseiller... Voilà deux copies administratives des lettres anonymes, poursuivit-il en les tendant à Lo. Vous qui excellez dans l'art des subtiles nuances en matière de littérature, jetez-y un coup d'œil, je vous prie, et tâchez de découvrir si elles ont pu être écrites par la même personne. Glissez-les vite dans votre manche, voici votre conseiller !

— Kao, je voudrais que vous accompagniez mon collègue au Sanctuaire du Renard noir, déclara Lo. J'ai pris la décision de nettoyer cette zone, et la première chose à faire c'est d'aller chercher cette jeune fille à demi folle qui se prétend la gardienne du Sanctuaire.

— Nous nous y rendrons ensemble dans un palanquin officiel, Monsieur Kao, précisa le juge. Le médecin de la résidence et l'intendante nous suivront dans un second palanquin, fermé celui-ci, car j'ai entendu dire que la jeune fille est très malade.

Le conseiller fit un profond salut.

— Je m'en occupe tout de suite, Excellence, répondit-il au juge avant de s'adresser à son maître : Le serviteur de l'Académicien attend dehors, Votre Honneur. Il m'a chargé de vous dire que Son Excellence Chao est prête à recevoir ses invités.

— Grands dieux ! Mes poèmes ! s'exclama Lo.

Le juge Ti l'aida à ranger les papiers éparpillés sur la table puis il l'accompagna jusqu'à la seconde cour et se dirigea seul vers le tribunal.

Le conseiller Kao l'attendait au grand portail devant lequel un palanquin était prêt à partir.

— Le médecin et l'intendante sont déjà dans la litière fermée, Excellence, annonça-t-il au juge. On pourrait transformer la friche en un jardin public, ajouta-t-il une fois en route. Il n'est pas souhaitable d'avoir à l'intérieur des murs de la ville une zone où toutes sortes de malandrins peuvent se retrouver. N'êtes-vous pas de mon avis, Excellence ?

— Si, absolument.

— J'espère que vous avez trouvé ce que vous cherchiez aux archives, Excellence.

— Oui, oui...

Voyant que le juge n'était pas d'humeur à converser, le conseiller garda le silence. Toutefois, alors qu'ils traversaient la rue-du-Temple, il ne put s'empêcher de reprendre :

— Hier matin, je suis allé voir Frère Lou au temple, au bout de cette rue, Excellence. J'ai eu du mal à lui faire accepter l'invitation de Son Excellence. Le fossoyeur ne s'est décidé que lorsque je lui ai appris que vous étiez également invité à la résidence.

Le juge Ti se redressa sur son siège.

— En a-t-il donné la raison ?

— Il a fait allusion à votre réputation de grand déchiffreur d'affaires criminelles, et il a aussi parlé d'une expérience intéressante, à propos de renards, si je me souviens bien.

— Je vois. Avez-vous une vague idée de ce à quoi il pouvait faire allusion ?

— Non, Excellence. Le fossoyeur est un personnage très étrange. Il m'a semblé insister particulièrement sur le fait qu'il était arrivé à Chin-houa avant-hier soir... Ciel, pourquoi nous arrêtons-nous ici ?

Le conseiller jeta un coup d'œil au-dehors. Le chef des porteurs apparut à la fenêtre.

— Un attroupement nous empêche d'avancer, expliqua-t-il au conseiller. Attendez un instant, je vais leur dire de laisser le passage.

Le juge Ti perçut un bruit confus de voix surexcitées. Le palanquin se remit en route, pour s'arrêter un peu plus loin. Cette fois, un sergent de la garde apparut à la fenêtre et salua sèchement le conseiller.

— Je suis navré, lui dit-il, mais vous feriez mieux de ne pas continuer. La gamine du temple abandonné a attrapé la rage. Elle...

Le juge ouvrit précipitamment la portière et descendit du palanquin. Six gardes, les hallebardes pointées en avant, avaient formé un cordon en travers de la rue, contenant un petit groupe de curieux. Un peu plus loin, Safran était étendue par terre, sur le dos, tragiquement immobile dans sa robe en loques souillée. Deux soldats lui maintenaient encore le cou au sol au moyen d'une fourche de dix pieds de long. A quelques pas de là, au milieu de la route déserte, d'autres soldats étaient en train d'allumer un grand feu.

— Mieux vaut ne pas approcher, Excellence, conseilla le sergent au juge Ti. Nous allons brûler son corps, par sécurité. On ne sait pas très bien comment se transmet cette maladie.

— Que se passe-t-il, sergent ? demanda d'un ton sec Kao qui venait de se joindre à eux. Est-elle morte ?

— Oui, Monsieur. Il y a une demi-heure, mes hommes ont entendu des cris sauvages en provenance des buissons, là-bas, et un étrange aboiement. Pensant qu'un chien enragé était en train d'attaquer quelqu'un, ils se sont précipités au corps de garde pour y chercher des fourches. Au moment précis où je franchissais le portail, la gamine s'est ruée au-dehors en poussant des hurlements stridents. Elle avait le visage complètement distordu et de la bave aux lèvres. Elle s'est dirigée vers nous, et l'un de mes hommes l'a jetée à terre en lui prenant le cou dans sa fourche. Elle se cramponnait au bâton et se débattait tant qu'un deuxième homme dut intervenir pour la maîtriser. Puis ses mains se sont relâchées d'un coup et elle est morte. (Le sergent repoussa son casque en arrière pour essuyer son front moite.) Quel homme extraordinaire, notre magistrat ! Il devait certainement s'attendre à ce qu'une chose pareille se produise ! J'ai reçu l'ordre de poster quelques-uns de mes hommes dans l'échoppe d'en face et de surveiller l'entrée de la friche. Voilà pourquoi nous avons pu intervenir avant qu'elle n'ait attaqué quelqu'un !

— Notre magistrat est un malin ! remarqua un soldat hilare.

Le juge Ti fit signe au médecin qui venait de descendre de la seconde litière.

— Cette jeune femme est morte de la rage, lui apprit-il. Etes-vous d'accord pour que l'on brûle le corps ?

— Absolument, Excellence. Que l'on brûle aussi la fourche ainsi que les buissons d'où elle vient. C'est une horrible maladie, Excellence.

— Restez ici pour veiller à ce que tout soit convenablement exécuté, ordonna le juge au conseiller Kao. Je rentre au tribunal.

XVI

Une excursion
dans la montagne se prépare ;
le juge Ti tire Lo
d'un mauvais pas.

Un essaim de jeunes servantes s'affairait autour des trois palanquins officiels qui attendaient dans la cour principale de la résidence. Les unes recouvraient les coussins de couvertures de brocart, les autres chargeaient les théières et les boîtes de gâteaux. Exaspéré par leur gai babil, le juge Ti se porta à la rencontre de l'intendant qui discutait avec le chef de la douzaine de porteurs accroupis contre le mur, vêtus de vestes brunes impeccables à larges ceintures rouges. Il informa le juge que la réunion poétique dans la bibliothèque était terminée. Les invités avaient regagné leurs chambres pour se changer, et le magistrat Lo avait suivi leur exemple.

Le juge se rendit dans ses appartements. Il tira un fauteuil devant les portes coulissantes grandes ouvertes et s'y assit, épuisé. Le coude dans la main gauche, il reposa le menton sur son poing fermé et contempla sombrement le jardin de rocaille, paisible dans le pâle soleil de cette fin d'après-midi.

Un long cri traînant au-dessus de sa tête lui fit lever les yeux. Une bande d'oies sauvages traversa le ciel bleu en battant tranquillement des ailes. L'automne était bien là.

Enfin, le juge se leva et rentra dans la pièce. Perdu dans ses pensées, il revêtit la robe violet foncé qu'il portait la veille. Tandis qu'il coiffait son haut bonnet de gaze noire empesée, il entendit le cliquettement des bottes de fer dans l'avant-cour. L'escorte militaire venait d'arriver, ce qui signifiait que l'on n'allait pas tarder à se mettre en route.

Alors qu'il traversait la cour principale, Lou le rejoignit. Le fossoyeur portait une robe bleu passé, retenue autour de sa large taille par une cordelière de chanvre, et des sandales de paille. Il tenait à la main un bâton au bout duquel était suspendu un baluchon de vêtements. Quand les deux hommes parvinrent à la terrasse de marbre, devant le bâtiment principal où se tenaient le magistrat Lo, l'Académicien, et le poète de cour, parés de leurs somptueuses robes de brocart, le fossoyeur avertit l'assemblée d'un ton bourru :

— Ne faites pas attention à ma tenue, Messieurs ! Je me changerai au temple, sur la falaise. Ma plus belle robe se trouve dans ce baluchon.

— Vous êtes impressionnant quels que soient vos vêtements, Frère Lou ! remarqua gaiement l'Académicien. Je ferai le trajet en votre compagnie, Chang. Nous devons mettre un terme à nos divergences littéraires.

— Partez devant, dit le fossoyeur. J'irai à pied.

— Impossible, Frère Lou ! protesta le magistrat Lo. La route est raide et...

— Je la connais très bien et j'en ai grimpé de bien pires, répliqua le fossoyeur. J'aime les paysages de montagne ainsi que l'exercice. Je suis simplement passé vous dire de ne pas vous occuper de moi pour le trajet.

Et il s'éloigna, le bâton sur l'épaule.

— Eh bien, dans ce cas, j'espère que vous ferez la route avec moi, Ti, proposa Lo. Mademoiselle Yo-lan prendra le troisième palanquin, avec la femme de chambre de ma Première Epouse, qui s'occupera d'elle. Puis-je vous conduire au premier palanquin, Excellence ? demanda-t-il à l'Académicien.

Le magistrat descendit les degrés de marbre suivi de l'Académicien et du poète de cour ; les trente soldats présentèrent les armes à leur passage. Au moment où Lo et le juge Ti s'apprêtaient à prendre place dans le second palanquin, ils virent la poétesse apparaître sur la terrasse ; une légère robe de soie blanche qui lui battait les pieds et une veste de brocart bleu orné d'un motif floral argenté lui faisaient une silhouette charmante. Elle avait ramassé ses cheveux en une haute coiffure élaborée, maintenue par des épingles à cheveux en argent, aux extrémités ornées de pendeloques en filigranes d'or où brillaient des saphirs. Elle était suivie par une domestique âgée en simple robe bleue.

— Vous avez vu cette robe et ces épingles à cheveux, Ti ? demanda Lo avec humeur, après s'être confortablement installé parmi les coussins. C'est ma Première Epouse qui les lui a prêtées ! Eh bien, notre petite réunion poétique n'a pas duré très longtemps. L'Académicien et Chang se sont montrés quelque peu réticents à me donner franchement leur avis sur mes poèmes. Et le fossoyeur n'a pas même cherché à me dissimuler son ennui ! Quel type désagréable ! Je dois reconnaître que Yo-lan a fait une ou deux réflexions très pertinentes. Elle a un sens très aigu de la langue, celle-là. Bon, en ce qui concerne les endroits où ils se trouvaient à l'époque du procès du général Mo, je n'ai eu aucun mal à me renseigner. Dès que j'ai fait allusion à l'affaire, l'Académicien s'est empressé de nous faire une conférence dessus. Le Censeur l'avait convoqué pour avoir son avis sur la situation locale, figurez-vous. Quant à Chang Lan-po, il se trouvait également ici, pour négocier avec des paysans mécontents. Sa famille possède près de la moitié des terres cultivables du district. Chang a assisté aux audiences du tribunal, dans le but d'observer le jeu des passions humaines. En tout cas, c'est ce qu'il a prétendu. Pour ce qui est de Frère Lou, il donnait une série de conférences sur un texte bouddhiste dans un vieux temple de la ville. Je n'ai pas réussi à leur demander s'ils étaient dans la région des lacs au moment où Yo-lan fut arrêtée. Qu'avez-vous fait de la fille du Sanctuaire du Renard noir, Ti ?

— Elle est morte de la rage, Lo. C'est un renard qui a dû la lui transmettre. Elle ne cessait de les caresser et se laissait même lécher le visage. Donc...

— Que s'est ennuyeux, Ti !

— Très ennuyeux, parce que maintenant nous n'avons plus personne pour...

Le juge ne termina pas sa phrase, interrompu par le vacarme des gongs.

Après être passés de la résidence au tribunal, les palanquins étaient à présent arrivés au grand portail de l'enceinte. Douze sbires prirent la tête du cortège, quatre d'entre eux frappant des gongs de cuivre. Les autres portaient au bout de longues perches des pancartes laquées de rouge où s'étalaient en caractères dorés les inscriptions : « TRIBUNAL DE CHIN-HOUA » ou bien « LAISSEZ PASSER ! » Certains étaient munis de lanternes, portant les mêmes inscriptions, et destinées à être allumées au retour, quand il ferait nuit.

Le lourd portail de fer s'ouvrit et le cortège avança dans la rue, les sbires en tête, suivis des trois palanquins, escortés par dix soldats de chaque côté et, fermant la marche, de dix autres soldats, armés jusqu'aux dents. La foule agitée, en habits de fête, leur ouvrait un passage. On entendit crier plusieurs fois : « Longue vie à notre magistrat ! » Le juge Ti enregistra avec satisfaction cette nouvelle preuve de la popularité de son collègue dans le district. Une fois dépassée la rue commerçante, et le calme revenu au-dehors, le juge reprit :

— J'avais compté sur Safran pour identifier notre homme. Sa mort est un coup terrible, Lo, car je n'ai pas l'ombre d'une preuve. Mais j'ai cependant la conviction qu'il s'agit de l'un de vos trois invités. L'un d'eux est certainement le père de Safran et ce même homme a assassiné son demi-frère, le candidat Song — comme je vous l'ai dit après ma visite à la tante de Safran. A présent, je peux ajouter que c'est encore lui qui a tué Petit Phénix, la danseuse.

— Juste ciel ! s'écria le magistrat Lo. Autrement dit, je...

Le juge Ti l'arrêta d'un geste de la main.

— Malheureusement ma découverte ne vous sera d'aucun secours tant que nous n'aurons pas pu prouver qui est notre homme. Laissez-moi essayer de résumer la situation. Le mieux est de commencer par le meurtre de Petit Phénix, commis hier. Ensuite, nous considérerons l'assassinat du candidat, avant-hier, en tenant compte du procès du général Mo, il y a dix-huit ans. Enfin, nous aborderons le meurtre de la servante du Monastère du Héron blanc. Nous pourrons ainsi traiter tous ces problèmes dans le contexte chronologique exact.

Bon, commençons par le meurtre de la danseuse. Le point essentiel est que Petit Phénix a vu le père de Safran revenir du Sanctuaire, après avoir rendu visite à sa fille. Cette rencontre ne frappa pas spécialement la danseuse sur le moment, car elle n'avait jamais vu l'individu auparavant. Hier après-midi, Petit Phénix a voulu jeter un coup d'œil à la salle du banquet où elle devait danser le soir, et Yo-lan, qui était amoureuse d'elle, vous l'a amenée ici, à la résidence. Elle a dit à la poétesse qu'elle allait danser sur « Un Phénix parmi les Nuages pourpres », son meilleur numéro. Puis elle a rencontré vos trois invités. C'est cette rapide entrevue, Lo, qui l'a bruquement décidée à modifier son programme.

Elle abandonna donc la danse prévue, qu'elle connaissait parfaitement et qui lui valait un franc succès, et choisit à sa place le « Lai du Renard noir » — qu'elle n'avait jamais exécutée en public et pour laquelle elle n'avait pas même de partition exacte !

— Grands dieux ! s'exclama Lo. La fille avait reconnu l'homme qu'elle avait croisé au Sanctuaire !

— Exactement ! Elle l'avait reconnu, mais quant à lui, il fit mine de ne pas la reconnaître. Eh bien, elle s'apprêtait à lui rafraîchir la mémoire : le « Lai du Renard noir » devait lui servir à cela ! Après la danse, quand elle aurait bu une coupe de vin en compagnie de chacun des invités, selon la coutume, elle lui aurait dit qu'elle savait qu'il était le père de Safran et aurait présenté ses exigences. Etant une jeune fille ambitieuse, se consacrant entièrement à son art, je suppose qu'en ce qui concerne Chao ou Chang elle leur aurait demandé à être introduite dans les milieux les plus distingués de la capitale, exigeant probablement en outre une coquette pension mensuelle. Dans le cas du fossoyeur, elle aurait insisté pour qu'il devînt son bienfaiteur, qu'il l'adoptât par exemple, pour que sa carrière artistique soit soutenue par cet illustre nom. Chantage pur et simple.

Le juge se lissa la barbe un moment puis poursuivit en poussant un soupir :

— Elle était intelligente, mais elle a sous-estimé sa victime. Dès qu'il l'a reconnue, il a projeté de l'assassiner. Lorsque vous avez annoncé qu'elle allait danser sur le « Lai du Renard noir », signe évident qu'elle avait reconnu le père de Safran et avait l'intention d'en tirer parti, il s'est décidé à la tuer dès que l'occasion s'en présenterait. Le feu d'artifice lui fournit cette opportunité, et il ne la laissa pas passer, ainsi que je vous l'ai expliqué hier soir. C'est sur la base de ce raisonnement, Lo, que je maintiens avoir la preuve irréfutable que le meurtrier est l'un de vos trois invités.

— Que je suis content que Yo-lan soit hors de

cause ! s'exclama le magistrat. Il est vrai que nous ne savons pas encore lequel des trois est coupable, mais vous avez sauvé ma carrière, frère-né-avant-moi ! Car à présent, je peux faire mon rapport en toute bonne foi sur le meurtre de la danseuse, comme une affaire n'ayant rien à voir avec la poétesse ! Jamais je ne pourrais assez vous en remercier, je...

Il fut interrompu par des ordres clamés et le cliquetis des armes. Le cortège quittait la ville par la Porte Ouest.

— Deuxièmement, s'empressa de poursuivre le juge, le meurtre du candidat Song. Il n'avait que cinq ans à l'époque du procès de son père, et fut aussitôt emmené à la capitale par un oncle. Nous ne pouvons que deviner quand et comment il a obtenu des renseignements qui le persuadèrent que son père avait été accusé à tort. Je suppose qu'il était au courant de l'adultère de sa mère ; il se peut que son oncle ou un autre parent lui en ait parlé, une fois grand, car d'après sa tante, il n'est jamais venu la voir à Chin-houa. Il a découvert d'une manière ou d'une autre que Safran était le fruit de cette liaison, et c'est pourquoi il est venu ici pour entrer en contact avec sa demi-sœur. En même temps, il a recherché dans vos archives des précisions sur le procès de son père. Safran ne lui a pas dit que son père venait encore la voir de temps en temps, mais en revanche, elle a parlé du candidat à ce dernier. Elle lui a dit qu'il s'appelait Aï-ouen, qu'il était venu à Chin-houa pour livrer à la justice le meurtrier de son père et qu'il habitait chez Meng. L'homme s'est alors rendu chez le marchand de thé et a tué Song.

Le petit magistrat acquiesça d'un air convaincu.

— Ensuite, Ti, il a fouillé le logement de Song pour y trouver des papiers qui le dénonceraient nommément. Peut-être le candidat avait-il découvert d'anciennes lettres du général Mo ou de sa mère. Les autorités avaient confisqué tous les biens du général, mais la famille avait certainement récupéré une ou deux robes, et il se peut que Song ait découvert des documents confidentiels cousus dans les coutures, que sais-je ?

— Cela, Lo, nous ne le saurons que lorsque nous aurons identifié l'assassin et accumulé assez d'indices pour l'interroger. Mais pour le moment, je ne vois absolument pas comment y parvenir ! Avant d'aborder ce problème, je voudrais discuter du troisième point : l'accusation contre la poétesse selon laquelle elle aurait fouetté à mort sa servante. Dites-moi, qu'avez-vous tiré des deux lettres anonymes que je vous ai confiées ?

— Pas grand-chose, Ti. Elles ont toutes deux été écrites par un excellent lettré, et vous savez combien nos critères de style sont rigoureux. Nous avons une expression convenue pour chaque aspect imaginable ou événement de la vie, de la pensée et de l'action, et tout lettré utilisera la formule exacte précisément là où il le devra. Si ces lettres avaient été écrites par une personne peu instruite, cela aurait été différent, naturellement. Il aurait alors été facile d'y distinguer des erreurs ou des tics de langage. Mais en l'occurrence, je ne peux que relever une similitude dans l'usage de certaines prépositions, ce qui pourrait laisser penser que les deux lettres ont été écrites par la même personne. Je suis désolé, Ti !

— Si seulement je pouvais voir les originaux de ces lettres ! s'exclama le juge Ti. J'ai fait des études de graphologie et je n'aurais aucun mal à les analyser ! Mais il me faudrait passer une journée entière à la capitale et je doute que la Cour Métropolitaine me laisse voir ces lettres !

Il tirailla sa moustache d'un air dépité.

— Qu'avez-vous besoin de ces lettres, Ti ? Etant donné votre perspicacité, frère-né-avant-moi, vous avez d'autres moyens de déterminer lequel de mes trois invités est le meurtrier ! Grands dieux, le coupable a dû mener une double vie ! Vous avez certainement remarqué quelque chose dans leur conversation, ou dans...

Le juge Ti secoua énergiquement la tête.

— Pas le moindre espoir, Lo ! Notre problème fondamental est que nos trois suspects sont des individus hors du commun, dont on ne peut juger les actes et les réactions selon nos critères ordinaires. Reconnaissez-le, Lo ! Ces trois hommes nous dépassent par leur savoir, leur talent et leur expérience — sans parler de la position éminente qu'ils occupent dans notre vie nationale ! En les interrogeant directement, nous allons droit à la catastrophe, vous et moi. Et le recours aux petites astuces de notre profession ne nous sera d'aucune utilité. Ils sont d'une intelligence exceptionnelle, mon ami, d'une grande maîtrise d'eux-mêmes et ils connaissent la vie ! Et en ce qui concerne précisément l'Académicien, il a une plus longue expérience que nous en matière d'affaires criminelles ! Nous perdons notre temps à essayer de les bluffer ou de leur faire peur.

— A vrai dire, Ti, remarqua Lo d'un air affligé, je ne peux me faire à l'idée que l'un de ces trois grands écrivains puisse être soupçonné de meurtre. Comment pouvez-vous imaginer de tels individus en train de commettre des crimes vils et odieux ?

— Nous ne pouvons faire que de simples suppositions, répondit le juge Ti en haussant les épaules. Je pourrais imaginer par exemple que l'Académicien, blasé par toutes sortes d'expériences, ayant connu tout ce qu'une vie normale peut offrir, recherche des sensations hors du commun. En revanche, le poète de cour regrette visiblement de n'avoir vécu que par procuration, et prétend ainsi que sa poésie ne vaut rien. Un tel sentiment de frustration peut engendrer les actes les plus surprenants. Quant à Frère Lou, vous m'avez dit qu'avant sa conversion, il avait cruellement opprimé les fermiers de son monastère. Et maintenant, il a apparemment choisi de se placer au-delà du bien et du mal, ce qui est une attitude très dangereuse. Je ne fais que vous livrer certaines des explications qui me viennent à l'esprit, Lo, mais tout est beaucoup plus compliqué que cela !

Le petit magistrat acquiesça puis il prit dans l'un des paniers une poignée de confiseries qu'il entreprit de grignoter. Le juge Ti voulut se verser une tasse de thé, mais la théière se trouvait sous la banquette et le palanquin se mit à pencher dangereusement à ce moment. Il tira le rideau de la fenêtre : ils progressaient sur une route escarpée, bordée de pins élancés. Après s'être essuyé les mains à son mouchoir, Lo reprit :

— Les vérifications de routine ne sont pas plus efficaces, Ti. Tout au moins, en ce qui concerne Chao et Chang. Ils m'ont dit tous deux qu'ils s'étaient couchés de bonne heure avant-hier soir, la nuit où le candidat a été assassiné. Mais vous savez que l'auberge municipale où ils sont descendus est très vaste et animée ; toutes sortes de fonctionnaires y vont et viennent à toute heure du jour ou de la nuit. Il est donc impossible de vérifier leurs déplacements. D'autant plus qu'ils ont dû prendre garde de ne point se faire remarquer s'ils sont sortis en pleine nuit ! Et qu'en est-il du fossoyeur, à propos ?

— Rien de bon, non plus. N'importe qui peut entrer ou sortir du temple, comme j'ai pu le constater moi-même. En outre, il en part un raccourci vers le quartier de la Porte Est où habite le marchand de thé. A présent que Safran est morte, je crains que nous ne soyons dans une impasse, Lo.

Les deux magistrats sombrèrent dans un silence morose. Le juge Ti fit glisser lentement entre ses doigts ses favoris.

— Je viens de repenser une fois de plus au dîner d'hier soir, dit-il au bout d'un long moment. Avez-vous remarqué combien vos invités étaient aimables les uns envers les autres ? Tous les quatre, y compris la poétesse ? Courtois, mais réservés, amicaux, mais impersonnels, avec ce brin de raillerie obligée dans ce genre de réunion littéraire où chacun des participants a atteint le sommet de sa gloire. Ces gens se sont vus de temps en temps ces dernières années. Qui sait ce qu'ils pensent les uns des autres, quels souvenirs d'amours ou de haines mutuelles les lient ? Aucun des trois ne laissera paraître ses sentiments réels. En ce qui concerne la poétesse, c'est un peu différent. Elle est d'un naturel passionné et ces six semaines de prison et d'épreuves l'ont durement affectée. Hier soir, elle a soulevé une seule fois un coin de son masque, mais j'ai senti une nette tension dans l'atmosphère pendant un bref instant.

— Vous pensez au moment qui suivit son poème sur la « Joyeuse réunion » ?

— Exactement. Elle vous aime bien, Lo, et je suis absolument convaincu qu'elle n'aurait jamais composé ce poème si elle ne s'était pas trouvée dans un état de tension émotionnelle qui lui a fait oublier votre présence. Par la suite, quand nous sommes allés regarder le feu d'artifice sur le balcon, elle s'est plus ou moins excusée envers vous. Le poème était destiné à l'un de vos trois invités, Lo.

— Je suis ravi de l'apprendre, répondit avec amertume le petit magistrat. Sa violente sortie m'a réellement choqué. D'autant plus que son poème était excellent, pour une improvisation au pied levé.

— Que dites-vous ? Excusez-moi, Lo, je repensais à ces deux lettres anonymes. Si elles ont été écrites par la même personne, cela signifie que l'un de vos invités hait Yo-lan, et qu'il la hait au point de vouloir la voir finir sur l'échafaud. Nous revenons une fois de plus à la question clé : lequel des trois ? Bon, je vous promets de discuter de l'affaire du Monastère du Héron blanc avec la poétesse. J'espère en avoir l'occasion ce soir. J'amènerai la conversation sur la lettre anonyme et observerai discrètement leurs réactions, surtout celle de Yo-lan. Mais je vous avouerai que je n'attends pas grand-chose de cette tentative !

— C'est réconfortant ! maugréa le magistrat,

avant de se carrer dans les coussins et de se croiser les mains sur le ventre.

Quelques instants plus tard, la route redevint plane, et le palanquin s'arrêta dans un brouhaha de voix.

Ils étaient arrivés sur une sorte d'esplanade entourée de grands pins séculaires dont le profond vert bleuté avait donné son nom à la Falaise d'Emeraude. Un peu plus loin, au bord même de la falaise, se trouvait un pavillon ouvert sur ses quatre côtés, dont le toit était soutenu par de gros piliers de bois brut. La falaise surplombait un profond ravin. Deux chaînes de montagnes s'élevaient en face, l'une à la hauteur du pavillon et l'autre nettement plus haute se détachait dans le ciel strié de rouge. De l'autre côté de l'esplanade, un petit temple pointait son toit au milieu des branches des grands pins. Devant le temple, les éventaires d'alimentation avaient été fermés à l'occasion de la visite du magistrat. Les cuisiniers de Lo y avaient installé leurs fourneaux en plein air. Des serviteurs s'affairaient autour des tables à tréteaux dressées sous les arbres. C'était là que se restaureraient les sbires, les gardes et autres employés du tribunal. Les porteurs et les coolies se chargeraient du reste du repas et du vin.

Au moment où le Magistrat Lo s'approchait du premier palanquin pour accueillir l'Académicien et le poète de cour, la silhouette débraillée du fossoyeur apparut. Il avait glissé les pans de sa robe bleue dans sa ceinture de chanvre, découvrant ses jambes musclées et poilues ; il portait sur l'épaule son balluchon de vêtements, à la manière des paysans.

— Vous avez l'air d'un véritable ermite, Frère Lou ! s'écria l'Académicien. Mais de ceux qui se nourrissent d'autres choses que de pignons et de rosée !

Le moine obèse grimaça un sourire, découvrant des dents brunes et mal rangées, puis se dirigea vers le temple. Le magistrat Lo conduisit ses autres invités par un sentier jonché d'aiguilles de pin, menant aux degrés de granit qui se trouvaient sur l'un des côtés du pavillon. Le juge Ti, qui fermait la marche, avait remarqué que trois soldats n'avaient pas rejoint les autres autour de la cuisine improvisée. Ils s'étaient accroupis au pied d'un grand pin, à mi-chemin entre le pavillon et le temple. Ils étaient coiffés de casques à pointes et portaient leur épée dans le dos. Il reconnut le sergent qu'il avait croisé au tribunal : il s'agissait des gardes qui escortaient la poétesse. La responsabilité du magistrat Lo n'était engagée qu'autant que celle-ci séjournait chez lui. A présent qu'elle en était sortie, son escorte était de nouveau sur le qui-vive : en effet, s'il arrivait quoi que ce soit à leur prisonnière, il y allait de leur vie. Mais leur inquiétante présence à cette joyeuse festivité fit soudain frissonner le juge.

XVII

Des poètes admirent
le coucher du soleil ;
ils font des vers et parlent du passé.

Le juge suivit les autres dans le pavillon. Après un thé rapide, le Magistrat Lo conduisit ses invités vers la rambarde de marbre sculptée qui longeait le bord de la falaise. Ils regardèrent en silence le disque rouge du soleil disparaître derrière les montagnes. Puis l'ombre envahit rapidement la gorge encaissée. En se penchant légèrement, le juge Ti constata qu'il y avait un à-pic de plus de cent pieds de profondeur. Un voile de brume s'élevait du torrent qui serpentait entre les rochers déchiquetés, tout en bas.

— Quel spectacle inoubliable ! dit en se retournant le poète de cour d'un air admiratif. Si seulement je pouvais saisir en quelques vers cette magnificence, en évoquant...

— Tant que vous ne me copiez pas ! coupa l'Académicien avec un fin sourire. La première fois que j'ai visité ce célèbre site — en compagnie du Conseiller d'Etat Chou — j'ai écrit quelques couplets sur ce coucher de soleil. Le conseiller les a fait graver dans ce pavillon, il me semble. Allons voir, Chang !

Ils allèrent tous examiner la douzaine de panneaux de bois, de toutes tailles, suspendus aux chevrons du pavillon, sur lesquels étaient inscrits des poèmes et des essais composés par des visiteurs célèbres. L'Académicien demanda au domestique chargé d'allumer les lampes à pied d'en lever une bien haut.

— Hé, Chao, voilà votre poème ! s'écria le poète de cour après avoir scruté un instant les panneaux. Il est très haut mais quand même lisible. Beau style classique !

— « Je marche grâce aux béquilles des anciennes citations », lut l'Académicien. Ils auraient pu tout de même lui réserver une meilleure place. Ah oui, je me souviens maintenant ! A cette occasion, le conseiller appela notre réunion « L'Assemblée au-dessus des Nuages ». Que pourrait-on proposer pour celle de ce soir ?

— « L'Assemblée dans le Brouillard », fit une grosse voix.

Le Frère Lou, vêtu d'une longue robe lie-de-vin bordée de noir, venait d'arriver.

— Excellent ! fit le poète de cour. Il y a effectivement beaucoup de brouillard. Regardez ces longues nappes entre les arbres...

— Ce n'est pas ce que je voulais dire, repartit le fossoyeur.

— Espérons que la lune ne tardera pas à se

lever, dit le juge. La Fête de la Mi-automne lui est dédiée !

Les serviteurs avaient rempli les coupes de vin disposées sur une table ronde laquée de rouge, près de la balustrade, et chargée de mets froids. Le petit magistrat leva sa coupe :

— Je vous souhaite la bienvenue à l'Assemblée dans le Brouillard ! Puisqu'il s'agit d'un repas très simple, rustique, je propose que nous nous asseyons sans tenir compte des conventions.

Il prit soin cependant d'offrir à l'Académicien la place à sa droite, et celle de gauche au poète de cour. L'air était frais, mais les sièges étaient pourvus de couvertures moletonnées et l'on avait installé par terre des repose-pied de bois pour chacun. Le juge Ti s'assit en face de son collègue, entre Frère Lou et la poétesse.

Les serviteurs apportèrent de grands bols de boulettes chaudes sur la table. Le cuisinier de Lo avait visiblement compris qu'en cette nuit fraîche sur la falaise les invités mangeraient peu d'entrées froides. Deux servantes remplissaient les coupes. Après avoir vidé la sienne d'un trait, le Fossoyeur déclara d'une voix rauque :

— J'ai fait une superbe promenade. J'ai vu un faisan doré et deux gibbons qui se balançaient dans les arbres. Un renard également... très gros... il...

— J'espère que vous allez nous épargner vos sinistres histoires de renards ce soir, Frère Lou !

coupa la poétesse en souriant. La dernière fois que nous nous sommes vus, dans la région des lacs, il nous a donné à tous la chair de poule !

Le juge Ti lui trouva meilleure mine qu'à midi, peut-être était-ce dû à son savant maquillage.

Le Fossoyeur la fixa de ses gros yeux saillants.

— Il m'arrive d'avoir un don de double vue, répondit-il calmement. Si je dis aux autres ce que je vois, c'est sans doute pour faire le malin mais aussi pour dissiper mes propres frayeurs. Car je n'aime pas du tout ce que je vois. Personnellement, je préfère regarder les animaux, dans la nature.

L'air étonnamment abattu du Fossoyeur frappa le juge Ti.

— Lorsque j'étais en poste à Han-yuan, remarqua-t-il, il y avait de nombreux gibbons dans la forêt, juste derrière la résidence. Je les regardais tous les matins en prenant mon thé sur la galerie.

— Il est bon d'aimer les animaux, articula lentement le Fossoyeur. On ne sait jamais quel animal on était dans une vie antérieure ; ni en lequel nous nous réincarnerons.

— J'imagine que vous étiez un tigre féroce autrefois, Magistrat, fit remarquer malicieusement la poétesse au juge Ti.

— Un chien de garde, plutôt, Madame ! répondit le juge avant de s'adresser au Fossoyeur : eh bien, vous avez prétendu ne plus être bouddhiste, et pourtant vous croyez à la transmigration des âmes...

— Mais oui, bien sûr! Pourquoi certains vivent-ils dans une abjecte misère du berceau jusqu'à la tombe? Ou encore pourquoi un enfant meurt-il dans d'atroces souffrances? La seule réponse à cela est qu'ils expient des péchés commis dans une vie antérieure. Comment les Puissances d'en haut imagineraient-elles que nous puissions expier toutes nos fautes dans le bref laps de temps d'une vie humaine?

— Non, non, j'insiste, Lo! s'exclama l'Académicien en coupant court à la conversation. Il faut que vous nous récitiez un de vos poèmes libertins! Pour prouver votre réputation de grand amoureux!

— Lo est amoureux de l'amour, remarqua sèchement la poétesse. Il badine avec toutes car il est incapable d'en aimer aucune.

— C'est une réflexion désagréable pour notre généreux hôte, observa le poète de cour. Pour vous punir, vous allez nous réciter l'un de vos poèmes d'amour, Yo-lan!

— Je ne récite pas de poèmes d'amour. Plus jamais. Mais je vais vous en écrire un.

Le magistrat fit signe à l'intendant, en lui montrant la table sur laquelle l'encre et le papier avaient été préparés. Le juge Ti remarqua que son collègue avait étrangement pâli : la réflexion de Yo-lan avait probablement touché un point sensible. Tandis que l'intendant choisissait une feuille de papier, l'Académicien s'écria :

— Notre grande poétesse Yo-lan n'écrira pas ses vers immortels sur un vulgaire bout de papier ! Tracez-les sur ce pilier-là, gravez-les dans le bois pour que les générations futures puissent les lire et les admirer !

La poétesse haussa les épaules. Elle se leva et se dirigea vers le pilier le plus proche ; une servante la suivit avec le nécessaire à écrire, tandis qu'une autre brandissait une bougie. Yo-lan frotta le pilier jusqu'à ce qu'elle découvrît une surface lisse. Le juge fut à nouveau frappé par la finesse et l'agilité de ses mains. Après avoir humecté d'encre le pinceau, elle écrivit en élégants caractères :

Amertume, je cherche les mots justes,
Pour ce poème, sous la lampe.
Je ne puis dormir en cette longue nuit,
Je redoute les couvertures solitaires.
Dans le jardin d'automne là-dehors,
C'est le bruissement triste des feuilles qui voltigent.
La lune luit comme une abandonnée
A travers les carreaux de gaze. (1)

— Ah ! s'exclama l'Académicien. Tout le

(1) Nous reproduisons la version du poème de Yu Hsuan-Ki donnée dans la traduction de l'ouvrage de R. Van Gulik, *La Vie sexuelle dans la Chine ancienne* (Gallimard, 1971).

La poétesse écrit un poème

caractère nostalgique de l'automne est saisi dans ces quatre vers. Notre poétesse est pardonnée ! Buvons tous à sa santé !

Il y eut encore maintes tournées, tandis que les serveurs apportaient d'autres plats chauds. Quatre grands braseros de cuivre, remplis de charbons rougeoyants, avaient été disposés aux quatre coins, car la nuit était tombée ; il commençait à faire froid sur la falaise et une brume humide montait du ravin. Des nuages noirs obscurcirent la lune. Le magistrat Lo, perdu dans la contemplation des lampions suspendus aux pins, se pencha soudain en avant :

— Mais pourquoi diable ces trois soldats font-ils du feu, là-bas sous les arbres ?

— Ce sont les gardes de mon escorte, Magistrat, répondit la poétesse d'une voix calme.

— Les impudents vauriens ! s'exclama Lo. Je vais les faire tout de suite...

— Votre responsabilité s'arrête à l'enceinte de votre résidence, lui rappela-t-elle vivement.

— Ah... hum... Oui, je vois, maugréa Lo. Où est la carpe aigre-douce, Intendant ?

Le juge Ti remplit lui-même la coupe de Yo-lan avant de lui dire :

— Mon ami Lo m'a communiqué le dossier de votre affaire, Madame, pensant que je pourrais peut-être vous aider à établir votre défense. Je n'écris pas très bien mais j'ai attentivement examiné les pièces du dossier et...

— J'apprécie votre aimable sollicitude,

Excellence, répondit la poétesse en reposant sa coupe. Mais ces six semaines passées dans diverses prisons m'ont donné tout le temps de peser cette affaire. S'il me manque naturellement votre connaissance de la phraséologie juridique, j'estime toutefois être la seule personne qualifiée pour assurer ma défense. Permettez-moi de vous servir à boire !

— Ne soyez pas stupide Yo-lan ! intervint brusquement le fossoyeur. La réputation de Ti dans ce domaine n'est plus à faire.

— Cela m'a frappé, reprit le juge Ti, que l'on n'ait pas accordé toute son importance au fait que cette affaire ait été déclenchée par une lettre anonyme. Apparemment, personne n'a cherché à savoir comment l'auteur connaissait l'existence du cadavre. La lettre ayant été écrite par un lettré, cela exclut la bande de voleurs. Vous n'avez aucune idée de son identité, Madame ?

— Si j'en avais une, répliqua-t-elle aigrement, j'en aurais fait part aux juges... ou peut-être pas, ajouta-t-elle après avoir vidé sa coupe.

Il se fit un silence soudain, puis le poète de cour remarqua sèchement :

— L'illogisme est le privilège des femmes belles et intelligentes. Je bois à votre santé, Yo-lan !

— Moi de même ! rugit l'Académicien.

Il y eut un éclat de rire général qui sonna faux aux oreilles du juge. Tout le monde avait beaucoup bu, mais il savait que les trois hommes avaient d'impressionnantes capacités en cette matière ; aucun d'eux n'avait d'ailleurs manifesté le moindre signe d'ébriété. En revanche, les yeux de la poétesse brillaient d'un éclat fiévreux ; elle semblait au bord de la crise de nerfs. Il fallait absolument la faire parler davantage, car sa dernière remarque laissait supposer qu'elle soupçonnait quelqu'un et que cette personne se trouvait présente à cette table.

— Cette lettre de dénonciation anonyme, Madame, insista le juge, m'en rappelle une autre, écrite à Chin-houa, il y a dix-huit ans. C'est celle qui a entraîné la chute du général Mo Te-ling. Elle est elle aussi l'œuvre d'un lettré accompli...

La poétesse lança au juge Ti un regard perçant.

— Il y a dix-huit ans, avez-vous dit ? releva-t-elle d'un air surpris. Je ne vois pas en quoi cela peut m'aider !

— Il se trouve, poursuivit le juge, que je viens de rencontrer une personne concernée par l'affaire du général ; indirectement, il est vrai. Mais notre conversation m'a conduit à des conclusions intéressantes. Il s'agit de la fille d'une concubine du général, du nom de Song.

Le juge se tourna vers le Fossoyeur, mais ce dernier ne semblait pas avoir suivi la discussion, absorbé comme il l'était par la dégustation d'un plat de pousses de bambous. Quant à l'Académicien et au poète de cour, ils écoutaient attentivement, mais avec un simple intérêt poli. Il remarqua du coin de l'œil l'air médusé de la poétesse, à ses côtés. Surpris, il fit un rapide calcul : elle n'avait que douze ans à l'époque ! Quelqu'un avait donc dû lui parler de cette affaire : quelqu'un qui était au courant de tout.

— Song ? répéta le fossoyeur en posant ses baguettes. N'était-ce pas ainsi que s'appelait le candidat assassiné l'autre jour ?

— Exactement. Et c'est en liaison avec ce meurtre que mon collègue et moi-même sommes remontés jusqu'à la trahison du général Mo.

— Je me demande bien ce que vous espériez découvrir, intervint l'Académicien. Mais si vous vous imaginez que le verdict n'a pas été équitable, Lo, vous vous trompez du tout au tout ! J'étais conseiller du Censeur impérial, figurez-vous, et j'ai suivi de près toutes les délibérations du procès. Croyez-moi, le général était bel et bien coupable. C'est regrettable, car c'était un excellent soldat et en apparence un très sympathique gaillard. Mais au fond de lui il y avait quelque chose de pourri ; une sombre histoire de promotion l'avait aigri.

Le poète de cour acquiesça et but une gorgée de vin.

— Je suis très ignorant en matière d'affaires criminelles, Lo, dit-il d'une voix claire, mais j'adore les énigmes. Pourriez-vous nous expliquer quel rapport il y a entre cette vieille affaire de haute trahison et le meurtre récent de ce candidat ?

— Le candidat s'appelant Song, nous avons pensé qu'il pouvait s'agir du demi-frère de la fille de la concubine, à laquelle mon collègue Ti vient de faire allusion.

— Cela me semble une hypothèse insensée ! protesta le poète.

Comme Yo-lan s'apprêtait à intervenir, le juge s'empressa de répondre :

— Mais pas du tout ! Figurez-vous que la concubine du général avait abandonné sa fille parce qu'elle était le fruit d'une liaison secrète. Selon nous, lorsque le candidat a appris que sa demi-sœur vivait ici ainsi que l'amant de sa mère, il est venu à Chin-houa pour retrouver cet homme. En effet, mon collègue et moi-même avons découvert que le candidat a consulté les archives du tribunal pour y découvrir quels étaient les amis et relations du général.

— Mes compliments, Lo ! s'exclama l'Académicien. Vous avez réussi à remplir vos fonctions officielles tout en nous recevant merveilleusement ! Et ce si discrètement que nous ne nous sommes aperçus de rien ! Quoi de neuf sur le meurtre du candidat ?

— Tout le mérite revient à mon collègue Ti ! C'est lui qui va vous apprendre les derniers développements de cette affaire.

— Par un pur hasard, expliqua le juge Ti, j'ai retrouvé la demi-sœur de Song. Il se trouve que c'est la gardienne du Sanctuaire du Renard noir, près de la Porte Sud. Elle est à moitié folle, mais…

— Pour autant que je sache, coupa le poète de cour, le témoignage d'une personne ne jouissant pas de toutes ses facultés mentales est irrecevable devant un tribunal !

Le Fossoyeur qui s'était retourné sur son siège fixait le juge.

— Alors comme ça, Ti, vous connaissez Safran ! s'exclama-t-il.

XVIII

Une grande amoureuse
dévoile son jeu ;
l'Académicien fait un grand pas
en avant.

Les lèvres épaisses de Frère Lou se retroussèrent. Faisant tourner sa coupe de vin dans sa grande main poilue, il reprit d'un air pensif :

— Moi aussi j'ai rencontré cette fille, une fois. Elle m'intéresse à cause de son affinité avec les renards. L'endroit en est infesté. Vous connaissez son histoire ? Elle a été vendue à un bordel infâme où elle a mordu la langue de son premier client. C'est bien une réaction de renarde, ça ! Et efficace, en plus, car le type a failli en mourir. Dans la confusion générale, elle a sauté par la fenêtre pour se réfugier au Sanctuaire du Renard et elle n'en a plus bougé.

— Quand l'avez-vous vue pour la dernière fois ? demanda négligemment le juge.

— Quand ça ? Oh, cela doit faire un an ou deux. Lorsque je suis arrivé ici, il y a trois jours, j'ai voulu aller passer un moment avec elle, pour essayer de démêler la nature exacte de ses relations avec les renards. J'y suis allé deux fois, précisa-t-il en hochant la tête, mais chaque fois j'ai rebroussé chemin en arrivant au portail. Il y a trop de fantômes pour moi dans ces parages.

Le fossoyeur remplit de nouveau sa coupe et se tourna vers le magistrat Lo.

— La petite danseuse d'hier soir avait elle aussi une tête de renarde, Lo. Comment va son pied ?

Le petit magistrat interrogea le juge Ti du regard. Devant son signe approbateur, il déclara à la cantonade :

— Nous n'avons pas voulu vous affliger hier soir, Messieurs, c'est pourquoi nous vous avons dit qu'il s'agissait d'un accident. En réalité, elle a été assassinée.

— Je m'en doutais ! maugréa le fossoyeur. Son cadavre était à côté de nous alors que nous buvions et conversions...

Le poète de cour regardait Yo-lan d'un air médusé.

— Assassinée ? répéta-t-il. Et c'est vous qui l'avez découverte ?

Quand la poétesse eut acquiescé, l'Académicien intervint avec humeur :

— Vous auriez dû nous prévenir, Lo ! Nous ne nous laissons pas affliger aussi facilement, savez-vous. Et ma grande expérience de juge aurait pu se révéler utile. Eh bien, vous voilà avec deux meurtres sur les bras, Lo ! Vous avez une piste pour celui de la danseuse ?

Voyant son collègue hésiter, le juge Ti répondit à sa place :

— Ces deux affaires sont étroitement liées. En ce qui concerne le candidat Song et les recherches qu'il effectuait ici, je suis entièrement d'accord avec vous sur la culpabilité de son père. Le jeune homme se trompait effectivement. Mais mon collègue et moi-même pensons que le candidat était sur le point de démasquer celui qui avait dénoncé son père, non par amour de la patrie, mais pour un motif beaucoup plus égoïste, à savoir...

Le juge Ti fut interrompu par le cri affolé que poussa la poétesse.

— Vous n'en avez pas bientôt fini avec cette sinistre discussion ? demanda-t-elle d'une voix tremblante. Cette manière dont vous vous rapprochez irrésistiblement de votre proie... Auriez-vous oublié que je suis accusée moi aussi, et que je risque la peine capitale ? Comment pouvez-vous...

— Du calme, Yo-lan ! intervint l'Académicien. Il est inutile de vous inquiéter ! Votre acquittement ne fait pas le moindre doute. Les juges de la Cour Métropolitaine sont d'excellentes gens, je les connais tous. Je peux vous assurer que votre procès ne sera qu'une pure formalité et qu'ils l'expédieront en un rien de temps.

— C'est certain, ajouta le poète de cour.

— J'ai d'excellentes nouvelles pour vous,

Madame, annonça le juge. J'ai dit il y a un instant que la lettre anonyme dénonçant le général Mo et celle qui vous accuse ont toutes deux été écrites par un lettré accompli. Nous avons par ailleurs découvert qu'elles sont de la main d'une seule et même personne. Cela nous permet d'envisager différemment votre affaire, Madame.

L'Académicien et le poète de cour regardèrent le juge d'un air stupéfait.

— Parlez-nous donc plutôt du meurtre de la petite danseuse-renarde, exigea le fossoyeur. Après tout, c'est arrivé dans la pièce voisine !

— Effectivement. Vous connaissez naturellement l'histoire de l'Escalier de la Consorte ; et vous savez également que la Consorte du Neuvième Prince empruntait la porte derrière l'écran, au fond de la salle du banquet, pour...

Un fracas épouvantable fit se retourner le juge : la poétesse s'était levée d'un bond, renversant sa chaise.

— Vous êtes stupide ! s'écria-t-elle en foudroyant le juge du regard. Vous et vos théories fumeuses ! Vous êtes incapables de voir la vérité qui pourtant crève les yeux ! J'en ai plus qu'assez de tous ces ergotages, ajouta-t-elle en portant vivement les mains à sa poitrine pour essayer de reprendre sa respiration. Cela fait deux mois que ça dure, et je n'en peux plus ! Je suis à bout ! C'est moi qui ai tué la danseuse ! s'écria-t-elle en frappant du poing sur la table. Elle me faisait chanter, imbéciles ! J'ai enfoncé les ciseaux dans son petit cou maigre et ensuite je vous ai joué la comédie !

Il y eut un profond silence pendant lequel elle dévisagea l'assemblée, les yeux en feu. Le juge Ti la considéra, interloqué.

— C'en est fini... murmura Lo.

La poétesse baissa enfin les yeux, avant de poursuivre, d'une voix plus calme :

— Le candidat Song était mon amant. Je savais qu'il était obsédé par l'idée que son père avait été accusé à tort. La danseuse m'a dit que Song était allé voir Safran ; une pauvre folle qui souffrait d'hallucinations érotiques. Elle avait habillé un squelette d'un suaire et le prenait pour son amant. Souffrant d'être orpheline, elle s'était imaginé que son père venait la voir ; c'est Petit Phénix qui me l'a dit. Elle ne l'avait pas détrompée, au contraire, pour qu'elle continue à lui apprendre ses étranges chansons. Je vous ai dit que Petit Phénix n'était qu'une sale petite putain qui ne méritait que la mort. Elle avait surpris mon amour pour Song. Voilà pourquoi elle voulait me faire chanter, comme je m'en suis aperçue hier après-midi. Elle devait danser sur les « Nuages Pourpres », mais quand elle m'eut rencontrée et eut pesé ses chances, elle choisit le « Lai du Renard noir », pour me faire comprendre qu'elle avait vu Song dans le temple abandonné.

La poétesse s'était expliquée si précipitamment qu'elle dut s'interrompre de nouveau, à bout de souffle. Le juge Ti s'efforça de mettre de l'ordre dans son récit confus. Toutes les hypothèses soigneusement échafaudées s'effondraient avant même qu'il ait eu le temps de les formuler. Il y eut un cliquetis d'armes. Les trois soldats, alertés par la chute de la chaise et les cris de la poétesse, s'étaient approchés du pavillon. Le sergent, adossé à un pilier, observait la scène d'un air indécis, sans se faire remarquer des autres invités. Tous les regards étaient braqués sur la poétesse, debout, les mains à plat sur la table.

— Quel secret la danseuse a-t-elle appris de la bouche de Song ? demanda enfin le juge Ti, d'une voix qu'il ne reconnut pas lui-même.

La poétesse se retourna et fit signe au sergent :

— Approchez, sergent ! Vous m'avez traitée convenablement, vous êtes en droit d'entendre cela !

Tandis que le sergent, regardant le magistrat d'un air gêné, se dirigeait vers la table, la poétesse reprit :

— Song a été mon amant, mais je ne tardai pas à me lasser de lui et je le quittai. C'était l'automne dernier. Il y a six semaines, il a passé quelques jours dans la région des lacs. Il est venu me voir pour me supplier de vivre à nouveau avec lui. J'ai refusé. J'étais dégoûtée des amants : j'en étais arrivée à détester les hommes ; il ne me restait plus que quelques amies. Pour ce qu'elles valent ! J'ai découvert que ma servante me trompait avec un coolie, et je l'ai renvoyée. Elle est revenue plus tard, le soir, me croyant déjà partie faire ma promenade vespérale. Je l'ai surprise au moment où elle vidait mon coffre à bijoux.

Yo-lan se tut un instant pour repousser une mèche qui s'était échappée de sa coiffure défaite.

— Je voulais lui donner une sérieuse correction, mais alors... alors ce n'était plus elle que je fouettais, chaque coup de fouet m'était destiné à moi-même, à mon incroyable et délirante folie ! Quand j'ai repris mes esprits et compris ce que j'étais en train de faire, elle gisait à terre, morte. J'ai traîné son cadavre jusqu'au jardin, devant la porte duquel j'ai trouvé Song. Il m'a aidé sans un mot à la porter et à l'enterrer sous le cerisier. Après quoi il m'a dit que nous garderions le secret tous les deux. J'ai refusé, lui expliquant qu'il s'était fait le complice d'un crime et qu'il ferait mieux de s'enfuir. Ce qu'il a fait. Pensant que je devais songer à me protéger, j'ai forcé la serrure de la porte du jardin et enterré les deux candélabres dans la chapelle, sous l'autel.

Poussant un soupir, la poétesse se tourna de nouveau vers le sergent et lui dit tout doucement :

— Je vous présente mes excuses. Vous avez attendu discrètement dehors lorsque je suis allée chez l'orfèvre, il y a trois jours. Je suis tombée sur Song. Il m'a chuchoté que puisque sa lettre anonyme ne suffisait apparemment pas à me conduire sur l'échafaud, il allait prendre d'autres mesures ; mais peut-être voudrais-je auparavant discuter un peu avec lui de tout cela. Je lui ai promis d'aller le voir à minuit. Ne vous méfiant pas de moi, sergent, vous avez négligé de poster un de vos hommes à la porte de ma chambre. J'ai quitté l'auberge et me suis rendue chez Song. Je l'ai tué dès qu'il m'a eu laissée entrer, avec une scie à chantourner que j'avais trouvée sur un tas d'ordures dans l'allée. Voilà, c'est tout.

— Je suis désolé, Madame, dit le sergent en commençant d'un air impassible à dérouler la fine chaîne qu'il portait autour de la taille.

— L'improvisation a toujours été votre fort, fit alors une grosse voix.

C'était l'Académicien. Il s'était levé et placé derrière sa chaise. La lumière des lampions suspendus aux poutres éclairait son imposante silhouette et faisait ressortir son visage hautain et figé. Il défroissa soigneusement sa large robe puis déclara d'un ton désinvolte :

— Quoi qu'il en soit, je ne veux rien devoir à une vulgaire putain.

Et, sans hâte apparente, il enjamba la balustrade.

La poétesse se mit à hurler de toutes ses forces, tandis que le juge Ti se précipitait vers le parapet, imité par le sergent et le fossoyeur. Tout en bas, dans le noir, on n'entendait plus que le faible grondement du torrent au fond du ravin.

Quand le juge se retourna, la poétesse avait cessé de crier. Elle se tenait au parapet, hébétée, à côté du poète de cour. Le Magistrat Lo donnait des ordres brefs à l'intendant qui partit précipitamment.

Enfin, la poétesse retourna s'asseoir à la table et déclara d'une voix atone :

— C'est le seul homme que j'aie jamais aimé. Vidons encore une coupe ensemble. Nous allons bientôt nous quitter, voyez, la lune s'est levée !

Quand tout le monde eut repris sa place autour de la table, le sergent recula de quelques pas, jusqu'au pilier le plus éloigné, où ses deux hommes le rejoignirent.

— D'après mon intendant, dit Lo tandis que le juge Ti remplissait la coupe de Yo-lan, il existe un sentier qui descend jusqu'au fond du ravin. J'ai envoyé quelques-uns de mes hommes chercher le corps. Mais on le retrouvera probablement un mille ou deux en aval, car le courant est très fort.

La poétesse posa les coudes sur la table.

— Il y a des années qu'il avait fait dresser les plans d'un somptueux mausolée destiné à être érigé dans son village natal après sa mort. Et voilà que son corps...

Elle enfouit son visage dans ses mains. Lo et

le fossoyeur regardèrent en silence ses épaules secouées par les sanglots. Le poète de cour avait détourné la tête ; il contemplait fixement la chaîne de montagne qui baignait dans le clair de lune.

— Oui, c'est le seul homme que j'aie vraiment aimé, reprit Yo-lan. J'ai aimé le poète Wen Tung-yang ; il était généreux et charmant... et quelques autres encore. Mais Chao Fan-ouen était là, en moi, dans mon corps. J'avais dix-neuf ans quand je suis tombée amoureuse de lui. Il m'a enlevée en cachette de l'établissement où je travaillais, car il refusait de me racheter. Une fois qu'il en a eu assez de moi, il m'a abandonnée sans une sapèque. J'ai dû gagner ma vie comme putain de bas étage : mon nom figurait sur la liste noire puisque je m'étais enfuie, et je ne pouvais plus entrer dans une maison convenable. Je suis tombée malade, au bord de l'inanition. Il le savait mais n'a rien fait pour moi. Plus tard, quand Wen Tung-yang m'a eu remise d'aplomb, j'ai essayé plusieurs fois de le faire revenir. Il m'a chassée, comme on repousse un chien à l'affection trop envahissante. Ce qu'il a pu me faire souffrir ! Et je n'ai jamais cessé de l'aimer...

Elle vida sa coupe d'un trait et regarda le Magistrat Lo d'un air pitoyable.

— Lorsque vous m'avez proposé de venir, Lo, j'ai commencé par refuser, parce que je pensais ne plus avoir envie de le revoir...

d'entendre cette voix prétentieuse, de voir ce... (La poétesse haussa les épaules.) Mais quand on aime vraiment un homme, on aime jusqu'à ses défauts. Et donc je suis venue. Ce fut un supplice que d'être ici avec lui, mais j'étais heureuse... Je n'ai perdu mon sang-froid qu'au moment où il m'a ordonné de composer une ode sur notre « joyeuse réunion ». Je m'en excuse, Lo. Enfin, j'étais la seule personne auprès de laquelle il pouvait se vanter de ses forfaits. Et il en avait beaucoup à son actif ! Il prétendait être le plus grand homme de tous les temps, et donc en droit de vivre tout ce qu'un corps et une âme d'homme peuvent vivre. Oui, il a séduit la concubine du général Mo, et quand ce dernier s'en fut aperçu, Chao l'a dénoncé. Il avait bien songé participer au complot, mais il a compris à temps qu'il était voué à l'échec. Il connaissait tous les complices du général, sans qu'ils le connussent ! Le Censeur félicita Chao pour ses bons conseils — il me l'a dit lui-même avec délectation ! Le général n'a pas mentionné son nom au cours du procès parce qu'il n'avait aucune preuve de sa participation au complot et aussi parce qu'il était trop fier pour révéler l'adultère — d'ailleurs la concubine s'était pendue et le général ne pouvait plus rien prouver à son sujet non plus. Chao adorait me parler de cette vieille histoire... Au printemps dernier, il est venu me voir au Monastère du Héron blanc, car rien ne lui faisait plus plaisir que de se réjouir des malheurs qu'il avait provoqués. C'est pourquoi il tenait tant à aller voir sa fille illégitime au temple abandonné, chaque fois qu'il s'arrêtait à Chin-houa. Il lui disait qu'elle avait une vie merveilleuse, entre son fidèle amoureux et ses renards.

A part ça, tout ce que j'ai dit sur la mort de ma servante est la stricte vérité, seulement il ne s'agissait pas de Song mais de Chao. Je n'ai jamais vu ce malheureux candidat, Chao ne m'en a parlé qu'hier. Cette pauvre Safran lui a dit tout ce qu'elle savait de Song. Il est allé le voir une nuit, a frappé à la porte de derrière et lui a dit qu'il avait des informations à lui communiquer sur l'affaire du général Mo. Le candidat l'a laissé entrer et Chao l'a tué avec une scie à chantourner, trouvée sur un tas d'ordures, tout près du portail. Il m'a dit qu'il avait bien un poignard sur lui, mais qu'il était toujours préférable d'utiliser une arme trouvée sur place. C'est la raison pour laquelle il a tué la danseuse avec les ciseaux. Chao ne redoutait qu'une seule chose : que Song ait découvert une preuve de sa liaison avec sa mère, de vieilles lettres ou un document quelconque. Il a fouillé en vain l'appartement de Song. Servez-moi encore une coupe, Frère Lou !

Après avoir vidé sa coupe, lentement cette fois, elle poursuivit son récit :

— Inutile de vous dire que lorsque Chao m'eut aidée à enterrer la servante, je ne lui ai pas demandé de partir ! Au contraire, je l'ai supplié à genoux, je l'ai imploré de rester, de me revenir ! Il m'a répondu qu'il regrettait de ne pas m'avoir vue la fouetter, mais qu'il était de son devoir de me dénoncer aux autorités. Et il est parti en riant aux éclats. Je savais qu'il allait le faire, c'est pourquoi j'ai fabriqué cette fausse piste. Dès que j'ai appris l'existence de cette lettre anonyme, j'ai su que Chao en était l'auteur et qu'il désirait ma perte. Il connaissait mon abjecte et ridicule dévotion pour lui, il savait que je ne le compromettrais jamais ; que je préférerais plutôt mourir !

Yo-lan hocha la tête d'un air las et désigna le pilier.

— Voyez comme je l'aimais ! J'ai composé ce poème lorsque nous étions encore ensemble. Et vous, reprit-elle en foudroyant le juge Ti du regard, quand les mailles de votre filet se resserraient inexorablement, c'est moi que vous étrangliez ! Voilà pourquoi j'ai parlé. J'ai essayé de le sauver en mettant bout à bout tous les éléments que je connaissais. Mais vous avez entendu ses derniers mots...

Elle reposa sa coupe et se leva, en arrangeant sa coiffure de quelques gestes prestes et adroits.

— A présent que Chao est mort, ajouta-t-elle d'un air détaché, je pourrais naturellement l'accuser d'avoir fouetté à mort ma servante. Il en était tout à fait capable. Mais puisqu'il est mort, je désire mourir à mon tour. J'aurais pu me jeter dans le ravin à sa suite, mais le sergent l'aurait payé de sa vie. En outre, je suis orgueilleuse à ma façon, et si j'ai beaucoup de choses à me reprocher, je peux me vanter de n'avoir jamais été lâche. J'ai tué la servante et j'aurai ce que je mérite. C'est un privilège de vous avoir rencontré, Chang, dit-elle en souriant faiblement au poète de cour, car vous êtes un grand poète. Quant à vous, Frère Lou, je vous admire, car j'ai pu me rendre compte de votre authentique sagesse. Et je vous suis très reconnaissante, Lo, pour votre solide amitié... Magistrat Ti, je suis navrée de vous avoir parlé sur ce ton tout à l'heure. Mes relations avec Chao étaient condamnées à finir tôt ou tard de manière désastreuse, et vous n'avez fait que votre devoir. Tout est pour le mieux ; depuis que Chao était à la retraite, et donc entièrement disponible, il avait conçu des projets diaboliques pour continuer à se divertir. Quant à moi, ma vie est brisée. Adieu.

Yo-lan se tourna vers le sergent qui lui enchaîna les mains et l'emmena, suivie par les deux soldats de l'escorte.

Le poète de cour, blême, s'assit en tailleur sur son siège et murmura en se massant le front :

— J'ai une migraine épouvantable ! Quand je pense que je rêvais d'une expérience bouleversante ! Rentrons en ville, Lo, ajouta-t-il en se levant brusquement. Lo, votre carrière est assurée ! conclut-il en souriant faiblement. Les plus grands honneurs vous attendent, vous allez être...

— Je sais très bien ce qui m'attend pour l'heure, repartit sèchement le petit magistrat : passer la nuit dans mon bureau à rédiger mon rapport officiel. Regagnez le palanquin, je vous rejoins dans un instant.

Une fois le poète parti, Lo jeta un long regard au juge Ti avant de balbutier :

— Ce fut... ce fut horrible, Ti. Elle... elle...

Sa voix se brisa. Le juge Ti posa délicatement la main sur le bras de son collègue.

— Vous allez terminer sa biographie, Lo, en citant textuellement tout ce qu'elle vient de dire. Ainsi, votre édition de ses œuvres lui rendra pleinement justice, et elle continuera à vivre à travers ses poèmes jusqu'à la fin des temps. Vous allez rentrer avec Chang, car je voudrais rester encore un moment ici, Lo. Il faut que je réfléchisse calmement à tout cela. Demandez à vos employés de tout préparer au tribunal, je vous y rejoins tout de suite pour vous aider à rédiger votre rapport.

Il suivit des yeux le magistrat qui s'éloignait puis se tourna vers le fossoyeur :

— Et vous, que faites-vous ? lui demanda-t-il.

— Je vous tiens compagnie, Ti. Approchons nos chaises du parapet pour jouir du spectacle de la lune. C'est en son honneur que nous sommes ici, n'est-ce pas ?

Les deux hommes s'assirent, adossés à la table

à moitié débarrassée. Ils étaient seuls dans le pavillon : dès le départ du magistrat Lo, les domestiques avaient tous rejoint la cuisine improvisée dans la forêt, impatients de discuter les surprenants événements de la soirée.

Le juge contempla en silence la montagne en face, dont le moindre arbre se détachait précisément dans le clair de lune.

— Safran vous intéresse, n'est-ce pas ? demanda-t-il soudain. J'ai le regret de vous apprendre qu'elle est morte de la rage cet après-midi.

— Je sais, répondit le fossoyeur en hochant la tête. En grimpant le sentier pour venir ici, j'ai vu un renard noir pour la première fois de ma vie. Je n'ai eu que le temps d'entrevoir son long corps souple et sa fourrure noire et luisante, avant qu'il ne disparaisse dans les buissons... Vous aviez une preuve tangible contre l'Académicien, Ti ? demanda-t-il d'un ton détaché en frottant ses grosses joues mal rasées.

— Pas la moindre. Mais la poétesse pensait le contraire, et c'est elle qui a tout éclairci. Si elle n'avait rien dit, j'aurais continué encore un peu et m'en serais sorti par une théorie fumeuse. L'Académicien aurait qualifié mon exposé d'exercice de déduction intéressant, et l'on s'en serait tenu là. Il savait parfaitement que je n'avais pas la moindre preuve contre lui, c'est évident. Il ne s'est pas suicidé par peur des suites judiciaires, mais uniquement parce que son orgueil démesuré l'aurait empêché de vivre en sachant que quelqu'un avait pitié de lui.

— Ce fut un étrange drame, Ti, remarqua le fossoyeur en hochant la tête. Un drame humain où les renards eurent leur rôle. Mais nous ne devrions pas considérer toute chose du simple point de vue limité de notre petit univers humain. Il en existe bien d'autres qui le dépassent, Ti. Du point de vue de l'univers des renards, ce fut un drame de renards, où quelques malheureux humains jouèrent un tout petit rôle.

— Vous avez peut-être raison. Tout cela, semble-t-il, a commencé il y a quarante ans, quand la mère de Safran, jeune fille à l'époque, a ramené un petit renard noir chez elle. Je ne sais pas... Mais ce que je sais, ajouta-t-il en étirant ses longues jambes, c'est que je suis épuisé !

Le fossoyeur lui jeta un regard en coin.

— Vous feriez mieux d'aller vous reposer un moment, Ti. Nous avons tous les deux encore un bon bout de chemin à faire, chacun dans notre direction... Un bon bout de chemin, long et fatigant.

Le fossoyeur se carra sur sa chaise et contempla la lune, de ses gros yeux impassibles.

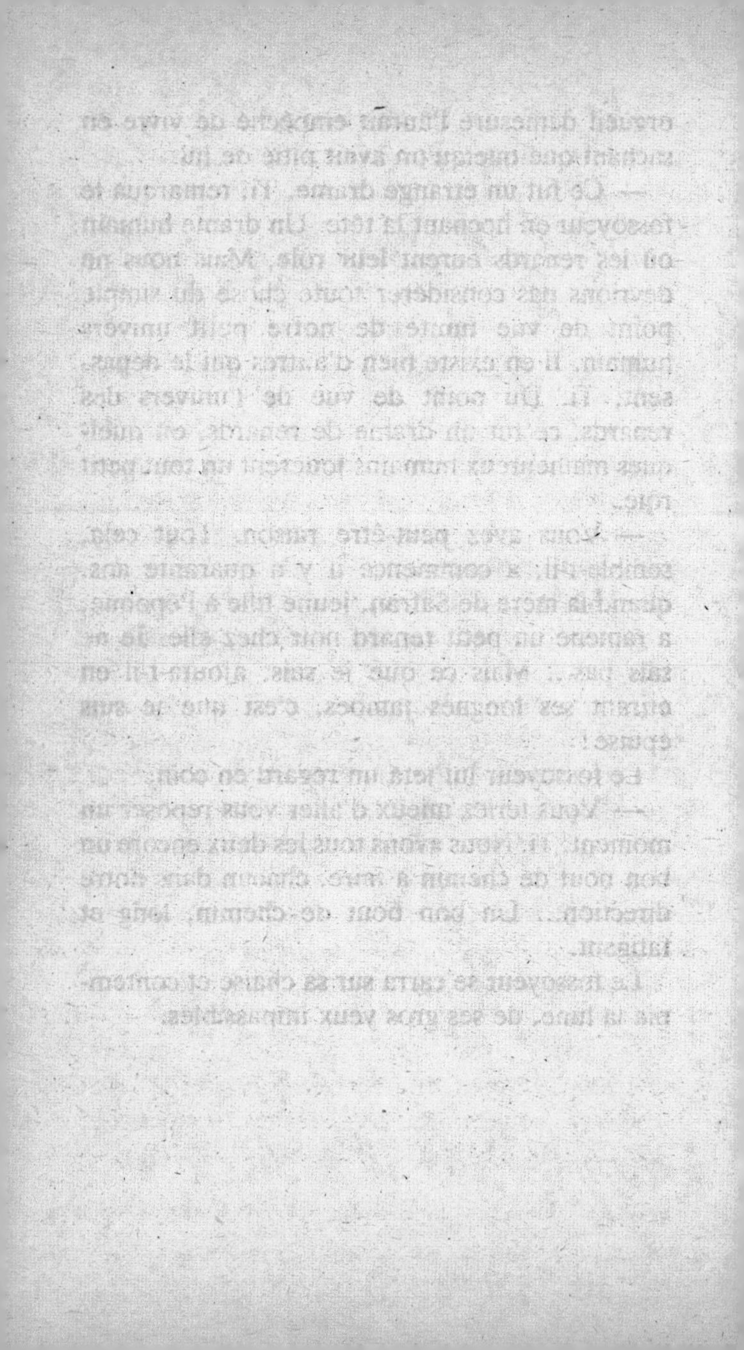

orgueil démesuré l'aurait empêché de vivre en sachant que quelqu'un avait pitié de lui.

— Ce fut un étrange drame, fit remarquer le fossoyeur en hochant la tête. Un drame humain où les renards eurent leur rôle. Mais nous ne devrions pas considérer toute chose du seul point de vue limité de notre petit univers humain. Il en existe bien d'autres qui le dépassent. Et, du point de vue de l'univers des renards, ce fut un drame de renards, où quelques malheureux humains jouèrent un tout petit rôle.

— Vous avez peut-être raison. Tout cela, semble-t-il, a commencé il y a quarante ans quand la mère de Saffron, jeune fille à l'époque, a ramené un petit renard chez elle. Je ne sais pas... Mais ce que je sais, ajouta-t-il en ouvrant ses [illegible], c'est que je suis épuisé !

Le fossoyeur lui jeta un regard en coin.

— Vous feriez mieux d'aller vous reposer un moment. Et nous avons tous les deux encore un bon bout de chemin à faire, chacun dans notre direction... Un bon bout de chemin, long et lassant.

Le fossoyeur se cala sur sa chaise et contempla la lune, de ses gros yeux impassibles.

POSTFACE

Le juge Ti est un personnage historique qui vécut de l'an 630 à l'an 700 après J.-C. Il fut un grand détective et un célèbre homme d'Etat sous les T'ang. Les aventures relatées dans ce roman sont entièrement fictives ainsi que les personnages, à l'exception de la poétesse Yo-lan. Je me suis inspiré de la fameuse Yü Hsüan-Ki, poétesse qui vécut de 844 env. à 871 env. C'était une courtisane qui, après une vie mouvementée, mourut sur l'échafaud, accusée d'avoir battu à mort une de ses servantes ; mais la preuve de sa culpabilité n'a jamais été faite. En ce qui concerne sa vie et son œuvre, je renvoie mes lecteurs à mon ouvrage *La Vie sexuelle dans la Chine ancienne* (Gallimard, 1971) p. 223. Le poème cité p. 245 de ce roman est réellement son œuvre.

En ce qui concerne certains aspects de la vie littéraire chinoise mentionnés ici, rappelons au lecteur que pendant près de deux mille ans, les examens littéraires représentèrent en Chine le seul moyen de faire une carrière officielle. Tous les citoyens pouvaient s'y présenter et, bien évidemment, les enfants des riches avaient plus de facilités pour s'y préparer que les pauvres ; on remettait aux candidats reçus — quels que soient leur statut social ou leur fortune — une bourse officielle, ce qui conférait au régime une teinte démocratique et contribuait à niveler la société chinoise.

Les activités littéraires jouèrent un grand rôle dans la vie chinoise, et parmi celles-ci, la calligraphie avait une place de premier plan, avant la peinture elle-même. Ce qui n'a rien d'étonnant si l'on songe que les caractères chinois sont des idéogrammes peints plutôt qu'écrits ; on pourrait parfaitement comparer la calligraphie à la peinture abstraite occidentale.

Les trois religions en vigueur en Chine étaient le confucianisme, le taoïsme et le bouddhisme, cette dernière venant des Indes ayant été introduite au premier siècle après J.-C. La plupart des fonctionnaires étaient confucianistes, avec un intérêt bienveillant pour le taoïsme, mais essentiellement antibouddhistes. Toutefois, au VIIe siècle, une nouvelle secte bouddhiste fit son apparition, venant toujours des Indes : la secte Ch'an, qui reprit à son compte de nombreux éléments du taoïsme ; elle refusait Bouddha en tant que sauveur et décréta inutiles les livres sacrés, sous prétexte que la lumière ne doit venir que de soi. Cette doctrine fut répandue par les lettrés éclectiques et fut très célèbre au Japon sous le nom de Zen. Dans l'histoire que l'on vient de lire, Frère Lou est un moine zen.

La tradition populaire chinoise concernant les renards date d'un peu avant le début de notre ère et tient une grande place dans la littérature chinoise. Pour en savoir davantage sur ce sujet, je me suis référé à l'ouvrage du sinologue hollandais, le professeur J. J. M. de Groot, *The Religious System of China,* Volume V, livre 2, pp. 576-600 (E. J. Brill, Leyde, 1910).

A l'époque du juge Ti, les Chinois ne portaient pas de nattes. Cette coutume leur fut imposée par l'envahisseur mandchou, après 1644 après J.-C. Les hommes coiffaient leurs cheveux en chignons et portaient des bonnets en tous lieux, ne se découvrant que pour se coucher. Se trouver en présence de quelqu'un tête nue était considéré comme une grave insulte, les seules exceptions à cette règle étant les ermites taoïstes et les prêtres bouddhistes. Il est question de cette particularité dans le meurtre du candidat Song.

Sous la dynastie T'ang, les Chinois ne fumaient pas, le tabac et l'opium n'ayant été introduits en Chine que bien après la mort du juge Ti.

CHRONOLOGIE DES ENQUÊTES DU JUGE TI DANS LES ROMANS DE ROBERT VAN GULIK

Le juge Ti est né en 630 à Tai-yuan, dans la province du Chan-si. Il y passe avec succès les examens littéraires provinciaux.

En 650, il accompagne son père à Tch'ang-ngan — alors la capitale de l'Empire chinois — et y passe avec succès les examens littéraires supérieurs. Il prend pour femmes une Première Epouse et une Seconde Epouse, et travaille comme secrétaire aux Archives Impériales.

En 663, il est nommé Magistrat et affecté au poste de Peng-lai. Les affaires criminelles qu'il débrouille alors sont contées dans les ouvrages suivants :

The Chinese Gold Murders, Trafic d'or sous les T'ang (coll. 10/18, n° 1619).

* *Five Auspicious Clouds.*

* *The Red Tape Murder.*

* *He came with the Rain.*

The Lacquer Screen, le Paravent de laque (coll. 10/18, n° 1620).

En 666, il est nommé à Han-yan :

The Chinese Lake Murders, Meurtre sur un bateau-de-fleurs (coll. 10/18, n° 1632).

** *The Morning of The Monkey.*

The Haunted Monastery, le Monastère hanté (coll. 10/18, n° 1633).

* *The Murder on The Lotus Pond.*

En 668, il est nommé à Pou-yang :

The Chinese Bell Murders, le Squelette sous cloche (coll. 10/18, n° 1621).

* *The Two Beggars.*

* *The Wrong Sword.*

The Red Pavilion, le Pavillon rouge (coll. 10/18, n° 1579).

The Emperor's Pearl, la Perle de l'Empereur (coll. 10/18, n° 1580).

Necklace and Calabash, le Collier de la Princesse (coll. 10/18, n° 1688).

Poets and Murder (Assassins et poètes).

En 670, il est nommé à Lan-fang :

The Chinese Maze Murders, le Mystère du labyrinthe (coll. 10/18, n° 1673).

The Phantom of The Temple.

* *The Coffin of The Emperor.*

* *Murder on New Year's Eve.*

En 676, il est nommé à Pei-tcheou :

The Chinese Nail Murders (à paraître sous le titre *l'Enigme du clou chinois,* coll. 10/18).

** *The Night of The Tiger.*

En 677, il devient président de la Cour

Métropolitaine de Justice et réside dans la Capitale :

The Willow Pattern, le Motif du saule (coll. 10/18, nº 1591).

Murder in Canton, Meurtre à Canton (coll. 10/18, nº 1558).

Il meurt en 700, âgé de soixante-dix ans.

Les huit titres précédés d'un * sont les récits réunis sous le nom de *Judge Dee at Work,* et les deux précédés de ** ceux qui composent *The Monkey and The Tiger.*

Le lieu et la date de sa naissance ainsi que ceux de sa mort sont réels, les autres ont été inventés par Robert Van Gulik.

Note de l'éditeur : les aventures inédites du Juge Ti seront publiées par 10/18 en 1985-1986.

TABLE

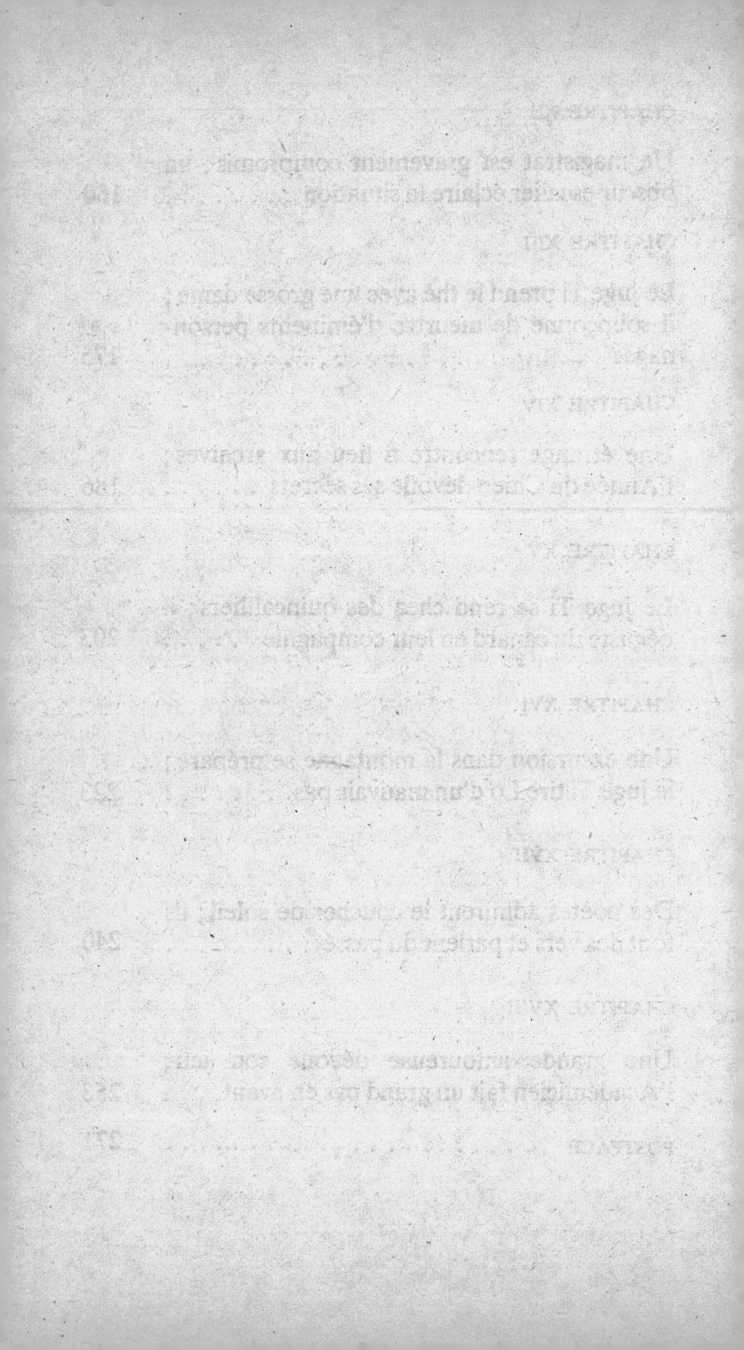

TABLE DES ILLUSTRATIONS